봄이 온다

The 4th Diary

봄이 온다 The 4th Diary

발 행 | 2022 년 12 월 09 일
저 자 | 정영록
펴낸이 | 한건희
펴낸곳 | 주식회사 부크크
출판사등록 | 2014.07.15(제 2014-16 호)
주 소 | 서울특별시 금천구 가산디지털 1 로 119 SK 트윈타워 A 동 305 호
전 화 | 1670-8316
이메일 | info@bookk.co.kr

ISBN | 979-11-410-0580-1

www.bookk.co.kr

봄이 가면, 여름이 오고,
여름이 가면, 가을이 오고,
가을이 가면, 겨울이 오고,
겨울이 가면, 봄이 온다.

봄이 온다
The 4th Diary

정영록 지음

목 차

서문

이 글은 2021년 말부터 2022년 최근까지 작성해 온 삶의 기록들을 모은 것이다. 그동안, 코로나바이러스와 백신, 대통령 선거, 전자기기로 인한 어려움, 우크라이나 전쟁 등 세계적인 위기의 문제들로 인해서 큰 스트레스를 받았다. 이 글은 어려움 속에서 그동안의 상처들을 드러내고 치유하며, 해법을 모색하고, 자신과 세계를 용서하고자 했던 시간의 기록이다. 고통받았던 지난 시간을 돌아보며, 그동안의 모든 어려움이 나를 강인한 호랑이로 만들기 위한 과정이었다는 것을 깨달았다. 내가 처해온 역사적 시간이 더욱 간절하게 '자유'를 갈망하게 해주었다는 것을 깨달았다. 위기와 문제의 상황을 해소하기 위해서 글로 풀어보면서 해법을 모색해 온 시간이 소중한 해법의 여정으로 남았다. 제목을 '봄이 온다'로 한 것은 길고 길었던 어둠의 시간이 끝나가고, 따뜻한 봄날이 다가오고 있음을 알리기 위한 것이다.

이 글의 진정한 목적은 세계적 문제의 해결에 있다. 나의 작문은 단순한 기록의 의미를 넘어서, 내면의 신성과 소통할 기회였기에, 끝없이 자신을 바로 세우고 해법을 구하고자 했다. 문제를 해결하기 위한 글을 쓴다는 것은 무엇이 문제인지 사고를 분명히 할 수 있고, 창조적으로 세계에 영향을 줄 수 있다고 생각했다.

나의 역사가 세상에 널리 알려져서, 인류가 하느님의 기적과 존재를 진정으로 믿고, 바르게 살고자 하는 마음으로 변화한다면, 구원될 수 있다고 생각한다. 인류에게 하느님에 대한 믿음이 부족한 것은 기적을 본 적이 없기 때문이다. 나의 기적적인 경험이 널리 알려진다면 인류에게 믿음을 줄 수 있을 것이다.

기후 위기, 전염병, 전쟁 등 모든 전 세계적 위기는 다음 시대의 새로운 질서를 위한 것이다. 내가 새로운 질서의 주체가 되어야 만인의 죄가 사라져 구원받을 수 있다고 생각한다. 나를 고통받게 했던 모든 것들이 나를 강인하게 단련시키기 위한 과정이 될 수 있기 때문이다. 모든 것은 나를 진정한 신인으로 만들어 인류의 문제를 해결해 내기 위한 것이라고 믿는다. 하늘과 함께하는 나의 역사가 널리 알려진다면, 세계적 문제들을 해결할 수 있고, 세계는 새로운 질서 아래, 점차 안정을 찾을 것이라는 결론이다.

이런 생각들이 일반적 관점에서는 이상적이고 허황한 것 같지만, 역사가 이끄는 대로 내가 할 수 있는 최선을 다하려고 했다. 가능성이 있다면 시도해 보는 것이 가치가 있듯이, 우리의 세계를 구하기 위한 도전은 영원히 계속되어야 한다고 믿는다. 용기를 낼 수 있었던 것은 세상에 나의 뜻을 선언한다면, 미래에 실현될 수 있다는 것을 예감했기 때문이다. 그런 믿음으로 나의 바람을 공표하여 만인이 원하는 미래를 창조하고 싶었다.

기록은 가급적 당시의 생각을 보존하려고 했고, 소통을 위해서 다듬고 정리했다. 기록에서 나타나는 반복되는 깨달음과 메시지는 하나로 정리하지 않고 그대로 실었다. 그만큼 중요한 통찰이었기 때문에, 시간이 지났음에도 자연스럽게 표현되었다고 생각한다. 개인적인 공간에 상처를 드러내고, 치유하기 위한 작업이었기에 균형적이지 않거나 불완전한 생각들도 있을 것이다. 그러나 결국 세계를 용서할 수 있는 길을 발견했기에, 소중한 여정에 대해서 많은 이들과 나누고 싶었다.

아무쪼록 많은 사람들에게 알려져 그들을 구원하고, 평화로운 세상을 만드는 데 기여할 수 있었으면 좋겠다.

2022년 11월 28일

정영록

대통령 선거

2021/12/06

혼자서 하는 일이 아니야. 대통령이라는 직업은 혼자서 할 수 있는 것이 아니야. 나는 내가 할 수 있는 일을 할 뿐이야. 사람들이 원할 때 지도자가 되는 것이지, 내가 그 자리 점 찍어 둔 거 아니잖아. 대운은 마음을 비우고, 최선을 다할 뿐인 거야.

2021/12/08

한국 사회에서 정도령이라는 존재는 십자가다. 그런 한국 사회를 원망한다. 누군가는 그 십자가를 짊어져야 하거늘... 때로는 그 길이 너무나 힘들다. 나의 길에는 정부와 세계가 도왔기 때문에 성취라는 꽃을 피울 수 있었다는 것을 잘 안다.

2021/12/08
사랑해. 나의 모든 역사, 한국의 역사를 사랑해.

2021/12/14
될 것 같은 일에만 투자할 것인가.

큰 사명을 앞두고, 이런 생각이 든다. 창의적인 사람은 될 것 같은 일에만 도전하는가? 그건 아니다. 뜻이 바로 세워져 있고, 반드시 행해야 한다고 믿는다면, 반응이 좋지 않더라도 의미가 있는 것이다. 나는 이렇게 인생을 살아가는 방식에 대해서 경험하고, 공부하게 된다. 대통령이 못되더라도, 인간으로서 문제 해결에 기여해야 한다는 사실은 변함이 없기 때문이다. 주의 집중이 두려운 면이 있지만, 확실한 주의 집중이 아니라면, 대선 국면에서 조명받지도 않을 것이다. 국민들이 원하고, 진정으로 이 세계가 나의 등장을 원한다면, 언젠가는 조명받을 것이다. 조명받아도 좋고, 받지 않아도 너무 떳떳하다. 왜냐하면 나는 해야 할 일을 다 했기 때문이다. 죽어도 여한이 없다.

2021/12/17
다시 기록을 시작한다.

과거의 일기들을 돌아보니, 이렇게 문제를 해결하려고 글을 쓰고, 고민했던 시간이 모이면 창조적인 결과로 드러나게 되더라는 것이다. 그렇다면, 나는 하루에 5분 정도만 시간을 들여서 무엇이 문제이고, 해법은 무언인지를 구하고, 내면과 소통하며 걸어간다면 미래의 영광스러운 일기를 만들어 낼 수 있다.

코로나바이러스는 점점 더 변이하여, 치명률이나 중등도가 줄어들 것이다. 그렇게 되면, 어느 누가 백신을 맞을 것인가. 이것은 전쟁이다. 오미크론이 지배 종이 된다면 증상이 약화하여, 죽어가는 사람들이 좀 더 줄어들 것이라고 본다. 그리고 점차 국제질서는 재편될 것이다. 이런 상황 속에서도 백신을 더욱 강제한다면, 더욱더 그들은 몰락하게 될 것이다. 권위 자체가 바닥으로 떨어질 것이다. 어떤 방향이든, 인류의 생명을 위한 방향으로 세계가 재편되길 간절히 바란다.

그래, 좋다. 앞으로 다시 일기를 쓸 것이다. 영광스러운 일기를 써나갈 것이다. 그러니, 하늘이시여, 저를 도와주십시오. 저의 명예가 아니어도 좋습니다. 코로나 시국이 끝나서 온 세계가 협력하며 살아갈 수 있는 세상을 만들어 주십시오. 당신이 저를 보내신 이유는 그것이라는 것을 잘 압니다. 간절히 바라면 이루어진다는 것을 제게 보여주십시오. 온 세계의 기후 위기 문제를 해결해 주십시오. 세계의 각종 문제들을 해결할 수 있는 신기술이 개발되게 해주십시오. 어렵게 전쟁을 막아 생명을 구했는데, 또다시 인류를 희생시키지는 말아 주십시오. 제가 당신의 자녀라면, 저의 명예를 높여주십시오. 저는 당신을 따르는 인간입니다. 당신은 인류를 사랑하십니다. 부디 자비를 베푸시어 만인이 공존할 수 있는 세상을 만들어 주십시오. 악에게 기회를 주십시오. 그들은 생존을 위해서 그랬던 것입니다. 일본을 용서하십시오. 세계를 가족으로 만들어 주십시오. 영광스러운 기록을 오늘부터 해 나갈 것입니다. 부디 저를 도와주십시오, 나의 하느님, 아버지.

2021/12/18
전쟁은 끝날 것이다.

문제는 무엇인가. 코로나 백신이 효과가 없는데, 강제하려 한다는 것이다. 인간의 생명을 해치는 모든 행위들은 천벌을 받을 것이다. 그것이 아무리 지구를 구하기 위한 것이라 할지라도 인간을 괴롭게 하는 것은 용서할 수가 없다. 이미 일은 벌어졌고, 결과는 돌이킬 수 없을 것이다. 오미크론이 지배 종이 되어, 더 이상 백신이 필요 없는 상태가 되어 이 모든 전쟁이 끝났으면 좋겠다.

2021/12/20

 한국에 코로나 확진자가 확 줄었으면 좋겠다. 그래서 방역 패스도 없어지고, 소상공인도 살아나고, 아이들도 백신을 맞지 않아도 되었으면 좋겠다. 반드시 그리되어야 한다. 나의 하루, 내면의 평화가 사라지더라도 간절한 마음으로 원하고 또 원한다. 코로나바이러스여, 그대들은 나를 돕고 있습니까. 저는 계산하고 의도할 만큼 영민하지 못합니다. 부디 국민들의 생명을 지켜주세요. 비나이다.

2021/12/21

 다시 한번 고하노니, 한국의 코로나 확진자가 급격하게 줄어들기를 바라고 명령한다. 병상 부족의 문제도 해결되고, 위중증 환자가 줄어들고, 사망자도 줄어들기를 바란다. 누가 잘하고 잘못하고를 떠나서, 국민들의 생명이 걸린 문제에는 모두가 힘을 합쳐야 한다. 이것은 나의 문제이다. 나는 대한민국 국민이기 때문이다.

2021/12/23

명령하라, 너의 권능 안에서

언젠가 출판하는 날을 위해 다시 기록을 이어가기로 했다. 어제는 임인년을 앞둔 동지였다. 특별히 의미 부여를 할 필요는 없지만, 내 인생에 큰 전환점을 맞이할 수 있었다. 그동안 여러 차례 들어온 메시지를 확정할 수 있었다. 그 메시지는 '내가 원하는 대로 이루어진다. 명령만 하면 이루어진다.'는 내용이었는데, 나는 그 힘이 두려워 모른척하고 살았다. 무언가 간절히 원하는 것이 없었기에, 힘이 필요 없었는지도 모르겠다.

하지만, 지금 나는 몹시 괴롭다. 생존의 위기를 느낄 정도로, 이 세계가 진행되는 방향에 대해서 너무나 큰 상처를 받고 있다. 그러던 어느 날, 명령만 하면 다 이루어진다는 생각을 확정할 수 있었다. 나는 간절히 원하고 있었다. 세상이 내 마음대로 이루어지는 것을. 그렇지만, 그 명령이라는 것은 함부로 경솔하게 해서는 안 되는 것이다. 나는 강제적 백신 접종에 강력하게 반대한다. 아이들의 백신 접종에도 반대한다. 그들은 인류에게서 영성을 빼앗을 작정이다. 인류를 노예로 만들려는 그들의 계획이 실패로 돌아가도록 명령한다.

수백만의 천사들이여, 인류를 해치는 잔혹한 무리가 실패하도록 도와주옵소서. 나는 당신들에게 이것을 명령할 자격과 권한이 있다고 믿습니다. 인류를 죽이고 있는 코로나바이러스를 종식해 주십시오. 그래서 백신이 더 이상 필요가 없는 세상을 만들어 주십시오. 백신 접종으로 고통받고 있는 이들에게 구원책을 내려주십시오. 인류가 더 깨어나도록 도와주십시오. 지구를 구한다는 명분으로 인류를 살상하는 저들이 망하도록 도와주십시오. 나는 이것을 강력하게 명령하는 바입니다. 이 지구상에 온전한 평화가 함께 하도록 도와주옵소서.

2021/12/23

오늘은 역사적인 날이다. 나는 내 인생의 명령권을 획득했기 때문이다. 두려움만 해소하면, 나는 이 지구상의 모든 문제들을 바로잡을 수 있다. 그 말은 더 이상 물질세계의 생존 다툼이 의미가 없어진다는 말이다. 타국의 문제도 해결할 수 있다면, 전쟁은 사라진다. 전쟁은 생존 게임이다. 물질계의 싸움이다. 정신계의 능력이 각성한다면, 모든 일이 잘 이루어질 것이다.

나는 대통령이 될 것이다. 어렵다고 생각하면 어렵고, 쉽다고 생각하면 쉽다. 대통령이 되어 그동안 갈고닦은 역량을 발휘하면 가장 좋겠다. 현실적으로 가능성은 작지만, 아무리 생각해도 내가 걸어온 길이 국가 발전과 관련이 있다. 나는 한국의 대통령이 되기를 바란다. 어떻게 하면 될 수 있는 것인가. 숨어서 하는 역할을 더 잘 수행할 수 있을 것인가. 하지만, 대통령이 되어서도 그렇게 하면 되지 않은가. 명령한다. 나는 한국의 대통령이 될 것이다. 수백만의 천사들은 나를 보필하라.

나에게 능력이 있다면, 많은 이들이 나를 이용하고 싶어 할 것이다. 하지만, 직접 고용을 통해서 정당한 대가를 지급하지 않고, 나의 바람과 에너지를 조종하여 누군가 이득만을 꾀하려 한다면, 내 인생에서 엄청난 손해일 수 있다. 나의 능력은 특정한 세력의 것이 아니기 때문이다. 그래서 가장 좋은 것은, 국가를 발전시킬 수 있는 일을 하는 일자리에 고용되어서, 월급을 받으면서 일을 하는 것이다. 그것이 문제이다.

어차피 내가 원하지 않는 방향에 대해서는 극심한 고통을 느낄 것이기 때문에, 그들에게 방해가 될 수도 있는 것이다. 하지만, 역사가 흐르는 방향에 순응한다면, 어쩔 수 없이 나를 조종해야 할 것이다. 나에게 당도하는 경로를 조작하기는 쉽다. 나는 좀 더 책을 통해서 거듭나야 한다. 하지만, 국가 경영자로서의 길이 막혀있는데, 무슨 직업을 목표로 준비하고 일을 할 수 있을까. 아무리 생각해도 대통령의 문제의식을 갖고 있는 나인데, 비록 경험과 나이가 부족하다고는 하지만, 오래전부터 국가의 문제 해결에 관심을 두고 노력해 온 것이 아닌가. 일기를 다시 보면서 느꼈다. 내가 얼마나 국가적인 문제에 헌신해 왔는지. 책이 알려진다면, 그다음 나의 일자리가 나올 것인가. 내년에는 직업이 생긴다고 하는데, 그것이 문제다. 대통령만을 생각하고 움직여 왔는데, 나는 무슨 일을 할 수 있을까. 나의 존재 이유는 무엇인가. 선택에 달렸다. 기록한 시간이 모여 자산이 되었다. 그리고 이것이 실질적인 자산이 될 것인가에 대해서는 시대의 선택에 달렸다. 나를 이용해서 4차 산업혁명을 돌파할 것인지, 아니면 막막하게 몰락을 기다릴 것인지는. 지구는 내가 구할 것이다.

2021/12/24

오늘도 기록을 남겨서 세상을 창조하자. 오늘은 부크크 책의 배송이 빨라서 크리스마스이브에 선물을 받은 느낌이다. 그래서 책을 기다리고 확인하는 동안에 너무나 행복했다.

한국을 비롯한 전 세계의 코로나 피해가 줄었으면 좋겠다. 그래도 대단한 발전이다. 증상이 약해진 오미크론으로 세상이 좀 더 안정되었으면 좋겠다. 그래서 위험성이 큰 백신을 맞을 필요성 자체가 사라졌으면 좋겠다. 이것을 오늘도 바란다. 세상에 영성 있는 사람들이 다음 시대에 역할 할 수 있도록, 자연이 선사한 위대한 힘을 구현하며 살아갈 수 있도록, 세상이 화평해졌으면 좋겠다. 인류의 역사는 정반합의 성격을 띠지만, 반드시 자유를 확장하는 방향으로 발전하게 되어있다. 그것이 자연계의 법칙이다. 나는 그것을 믿는다. 지구를 살리기 위한 그들의 노력도, 이제 더 이상 필요치 않게 되었다. 인류는 자유의지를 갖고, 주인으로서 당당하게 잘 살아갈 것이다. 세상을 살아가는 규칙은 자신의 때에 충실히 하라는 것이다. 악이 활개를 칠 때, 그들의 시간을 내가 막을 수는 없다. 원인이 있어야 결과나 다음 과정이 있기 때문이다. 하지만, 그들의 시간이 끝나가고 있다. 그들도 이것을 부정할 수는 없을 것이다. 병이 있으면 고치면 된다. 지구에 병이 들었으면 고치면 된다.

2021/12/27

문제는 무엇인가. 나는 어떤 추구 심을 갖고 살아가야 할 것인가. 세상을 화평하게 다스리고자 하는 나의 마음이 있다. 언젠가 나에게 강하게 쏟아졌던 생각들. 거대한 힘이 도래한다면, 그 힘을 안 쓸 것인가의 문제. 지금 내가 겪고 있는 문제이다. 그렇다고 매 순간 허공에 대고 명령할 것인가? 상념으로 명령할 것인가? 규정할 수는 없는 것이 시간이고 인생인데, 나는 무엇을 수행하는 도구로서 살아가고 싶지는 않다.

이 세계가 영리하다면, 언젠가 나를 도구로 활용하고 싶을 것이다. 그 모든 문제 중, 가장 위급하고 근본적인 문제는 아무래도 지축 정립과 기후변화가 될 것이다. 그 어떤 패권 전쟁? 주도권 싸움? 지배? 모든 것을 무의미하게 만드는 것은 지구가 큰 변화를 향해 가고 있다는 것이다. 모든 싸움이 의미가 없어진다. 이것을 막는 것이 가능할 것인가. 아마 대부분의 과학자들은 불가능하다고 볼 것이다.

그렇다면 어떻게 할 것인가. 인구를 줄여서 살아남을 사람이라도 살리기 위해서? 지축 정립의 시기를 늦추기 위해서? 명분이 있기 때문에 인구를 줄일 것인가. 나의 원은 여기에 머물러 있다. 어딘가에서 빛이 스며들어, 나의 원을 넓혀 주었으면 좋겠다. 주목받지 않아도, 어딘가, 어디선가 해법이 떠올라, 모든 인류를 구할 수 있는 길이 펼쳐졌으면 좋겠는데, 아니면, 인류의 피해가 최소화되었으면 좋겠다. 인류는 그동안 과학을 발전시켜 왔기 때문에, 무언가 해법을 얻을 수 있지 않을까? 단지 내가 그 해법을 구하고, 찾아보는 것만으로 미래가 창조되는 것인가.

내가 생각해 본 그 해법은 내가 등장하여, 부족하게 존재하여, 훌륭하게 질서의 축으로 역할 하는 것인데, 세상은 아직 준비가 되어 있지 않은 것 같다. 난 사실, 내년에 내가 대통령이 될 수 있을 거로 생각했어. 하지만, 정부에서는 법적으로 개헌을 하지 않았고,

나의 길을 허락하지 않았어. 나도 국가의 이익을 위해 움직이고 싶지, 내 영달을 위해서 그 자리로 가고 싶은 것은 아니었어. 순전히 국가에 이롭다고 생각했는데, 오히려 숨어서 노력하는 것이 더 이롭다는 생각도 들어. 문제는 나의 역량이 정당한 대가를 받지 못하고, 알 수 없는 특정 세력에게 에너지를 도둑질당하는 느낌은 상당히 좋지 않아. 지금은 충분히 그럴 수 있는 세상이라고 하지만, 나는 그만큼 나의 사고를 지키고, 확보해서 세상에 명령할 것이야. 아무도 나의 작문을 막을 수는 없어. 세상을 살리기 위한 길에 누구도 막을 수 있을 리가 없어. 문제는 나의 강력한 리더십 때문에, 내가 공격받을 수 있다는 것이야.

그들의 목적은 무엇인가. 잘 먹고 잘사는 것인가. 그들의 마음속에 국가 향상을 위한 마음은 존재하지 않는가. 그들도 잘살게 해주는 대신, 국민들도 잘 살 수 있으면 된 것이다. 나의 소망은 모든 국민이 잘 먹고 잘사는 국가를 만들고 싶은 것이다.

기득권의 파멸을 바라지 않는다. 그들도 그동안 많은 역할이 있었다. 그들의 공로를 인정한다. 하지만, 이제는 약자들을 위한 정책, 진정한 국익을 위한 정책, 국가의 기강을 바로 세우기 위한 정책도 함께 해야 한다는 것이다. 치우치지 않은 정책이 필요하다. 새로운 정권에서도 국민들을 돌보지 않는 정책으로 유지해 간다면, 세계적인 웃음거리가 될 것이다. 전 세계는 한국의 구조적 한계에 대해서 잘 알고 있다.

내가 대통령이 되더라도 100점이 될 수는 없을지도 모른다. 나는 영감과 비전이 명확한 대신, 경험이 부족하고, 세력이 없다. 한마디로 불안정한 국정운영이 될 수 있다는 말이다. 하지만, 기존 정치인들은 비전은 불안정하지만, 권력을 추구하고 뭉치는 세력들이 많이 있다. 나의 비전이 실현되는 것을 본다면, 꼭 대통령이 될 필요는 없다. 다만, 한국의 주도하에 통일이 이루어져야 온 국민들이 납득할 수 있다는 것이다. 나의 존재를 무시한 채, 남북문제를 해결하려고 한다면, 국민들의 호응을 얻지 못하고, 여전히 분열된 채, 시간만 보낼 것이다. 북한을 몰락시키는 것이 목적이 아니라면, 그런 길을 가서는 안 된다.

나는 한국에 많은 실망을 했다. 그래서 사실 큰 기대는 안 된다. 한국의 전시작전권은 미국에 있으며, 현재는 전시 상황이고, 미국의 통제권 아래 있는 것 같다. 그래서 더 기대가 안 되는지도 모른다. 문제를 찾다 보니, 말도 안 되는 문제가 나에게 찾아왔다. 과학적 사실을 막을 수 있을까. 이건 마치, 해가 떠오르지 않게 막아보라는 말처럼 들린다. 하지만, 나는 구원자라고 하는데, 지금까지 전쟁을 막고, 인류를 살리기 위한 모든 노력을 허사로 만들어 버리는 운명이 내 앞에 펼쳐져 있을까? 그게 무슨 구원인가.

내가 바라는 것은 백신을 강제 접종하지 않아도 될 정도로 코로나의 증상이 약화하는 것이야. 그것을 세상도 알고 있어. 인정하기 어려울 뿐이야. 그리고, 나의 역사로 인해서 통일을 위한 길에 들어서는 것이야. 그게 아니면, 존재 이유가 없어. 나의 성취를 더 이상 빼앗아 가지 마. 그리고, 하나님의 유전자에 손대지 마. 너희들이 무슨 권리로, 영성 있는 사람들에게 해를 가하고 괴롭게 하는 것이야? 세상은 다 같이 공존하고 살아가는 터전이지, 특정 사람만을 위한 장소가 아니야. 그런 오만이 너희들을 몰락하게 할 것이니 각오하는 게 좋을 거야. 이렇게 명령하고, 바라는 것을 적어 보는 나를 욕하지 마. 나는 너희들을 위해서 죽었던 거야. 지독한 너희들을 구원하기 위해서 내가 고통받았던 것이다. 그런 나에게서 사랑하는 세상을 빼앗아 가려 하지 마라. 그것이 하늘을 분노하게 만드는 일이다.

2021/12/28

어제는 오랜만에 일기장에 진정한 질문을 했는데, 오래지 않아 하늘로부터 해답을 받았다. 내가 구원자인데, 어떻게 기후 위기를 해결할 수 있을까에 관해서 물었는데, 좋은 생각이 떠오른 것이다. 지축 정립 이후의 세상이 악이 없는 세상이라면, 악한 자들은 죽는다는 말이다. 그러면 인간들을 선하게 변화시킨다면, 심판받을 이유가 없지 않겠나.

그렇다면, 어떻게 갑자기 인류를 선하게 변화시키겠나. 하느님이 존재한다는 사실을 믿게 만든다면, 바르게 변화하는 게 인간이라는 것이다. 인간이 선해지는 데에는 깊은 성찰이 있어야만 가능한 것은 아니다. 모든 것을 감시하고 관장하는 절대자가 있다면, 나쁜 짓을 쉽게 하지 못한다. 그래서 히틀러 예언에서, 한 인간이 신인으로 진화하는 것이 인류 구원이라고 한 것 같다. 나는 이로써 질문하면 해답을 얻는다는 생각을 더욱 공고히 할 수가 있었다.

격암유록의 내용과도 맞아떨어진다. 정도령과 하늘의 말씀에 귀 기울이지 않는다면, 재앙이 닥친다는 말이다. 이것으로 큰 질문에 대한 해답을 얻은 나는 정말로 가슴 벅차다.

2021/12/28

 청소년 방역 패스에 반대한다. 청소년들은 위중증 사망률도 현저히 낮고, 백신이 코로나 전파를 막지 못하며, 백신으로 인한 위험도가 더 크기 때문에 청소년 강제 접종을 반대한다. 그렇지 않으면, 벌을 받을 것이다. 생명을 소중히 하지 않는 것들에는 철퇴가 내릴 것이다. 나의 아름다운 꿈을 방해하지 마라. 너희들이 살기를 바란다면, 인류의 생명으로 실험하지 마라. 그렇지 않는다면, 너희들에게 재앙이 내릴 것이다.

2021/12/28

나의 아름다운 세상을 원한다.

 악의 세력이 완전히 사라지는 것을 원하지는 않는다. 적당히 공존할 수 있어야겠지만, 역사 의지에 따라 빛이 더욱 존중받고, 길을 열어가는 시대를 바란다. 한국만의 성공을 바라지 않는다. 다 같이 힘을 모아, 새 시대를 열어가야 한다.

 2020년과 2021년은 내 인생에서 죽음의 위기를 겪을 정도로 힘들었던 시간이었다. 일단, 마스크 착용으로 힘들었고, 스트레스로 힘들었다. 내가 코로나 위기와 기후 위기 해법을 찾아내야 한다는 사명감 때문이었다. 결국, 나는 그 해법을 찾아냈다. 하지만 찾아내밨자, 세상이 거부한다면 어쩔 수가 없는 것인가. 세상은 생각보다 밝지 않았다. 세상은 지구를 구한다는 명목으로 인구를 감축하려는 어둠의 세력들이 힘을 갖고 있었다. 코로나바이러스 국면도 과장된 점이 많았다. 더 위험하다고 불안을 조성했고, 마치 새로운 세계로 변화를 꾀하기 위해서 역할극을 하는 듯해 보였다. 기후 위기의 해법은 인구를 줄이는 데에 있다고 생각하는 듯했고, 백신회사들은 인류를 실험 대상으로 설정하여, 생명이 죽어 나가더라도 접종과 실험을 계속하는 듯 보였다. 전시 상황이라는 특수성이 그것을 허락한 것인가? 사실은 그렇게까지 위기가 아닌데도 위기는 과장되었던 것인가. 물론, 나는 정부의 최상층에서 고급 정보를 얻지 못하는 입장에 있기 때문에, 부분적인 정보만으로 판단하고 있을지도 모른다. 국제정치가 얼마나 무시무시하고, 많은 생명이 걸린 만큼 치열한지에 대해서 잘 모르고 있을 수도 있다.

내가 아무리 하느님의 존재와 선을 이야기하고 주장하더라도, 그들이 원하지 않는다면 무시되는 것인가. 보이지 않는 하늘의 힘은 존재하는 것인가. 그들은 종교가 없는가. 그들은 하늘과 연결되지 않았는가. 그들은 부모가 없는가. 그럴 것 같지는 않다. 그들도 내면의 어떤 힘을 따를 것이라고 본다. 문제를 발생시키는 역할을 부여받았을 따름일 것이다. 그 모든 악의 세력을 품을 수 있는, 더 크고 선한 힘과 연결되고 싶다. 그리고 그런 힘이 세상을 평화롭게 만들어 갔으면 좋겠다.

2021/12/28

백신 접종을 멈추어 줄래? 코로나 시국을 빨리 끝내기 위해서 백신 강제 접종을 시작한 것일까? 오래 길어지면 경제적으로 타격이 크기 때문에, 빨리 끝내는 방법을 채택한 것일까. 백신을 접종하면 사망자가 나오고, 사람들은 괴로워하며 백신 접종이 필요가 없는 세상을 염원하게 되지 않겠나. 그래서 그런 상황이 코로나바이러스의 변이를 재촉하는 것인가. 정보가 부족한 입장에서 그렇게라도 이해하고 싶다. 나는 온 세상을 적으로 돌리고 싶지 않아. 인류를 사랑하고 싶어. 코로나 시국을 빨리 끝내기 위해서 무시무시한 백신의 강제 접종이 이루어졌다고 말해줄래? 그렇지 않으면 너무 괴로워서 살기 힘들 것 같아. 너무 힘들어. 이제는 변이가 일어나서 인류에게 위독한 존재가 아니니까, 백신 접종을 멈춰줄래?

2021/12/29

하나님을 믿으면 구원받을 수 있다는 말이 무슨 말인지 알게 되었다. 신이 있다고 믿으면, 선을 행하며 살아가기 쉽기 때문에 그런 의미가 있고, 종말의 시기에 심판이 이루어지는데, 단지 죽어서 천국에 간다는 의미가 아니라, 실제로 지축 정립의 시기에 죽지 않게 된다는 말 같다. 그러니까 기후 위기를 위해서 내가 할 일은 하느님이 존재한다는 것을 알리는 일이 될 것이다. 그래서 내 책은 더 널리 퍼져야 한다.

2021/12/29
2021년을 돌아보며

올해는 평생 잊지 못할 한 해가 될 것 같다. 일단, 내가 사랑하는 책을 네 권이나 출간했고, 엄청난 스트레스로 인해서 건강이 많이 악화하여, 고생을 많이 했기에 그렇다. 보이지 않는 길을 열어가는 길은 불안을 동반한다. 특히, 확정되지 않은 현실을 두고, 오랜 시간 길을 열어간다면, 불안은 더 심화할 수밖에 없는 것이다.

나는 2016년부터 정도령을 발견한 이후로, 천형을 받은 듯이 내 길을 열어왔는데, 그 종착점이 올해였던 것 같다. 나의 중요한 모든 기록들을 보기 좋게 편집하여 세상에 내놓았다. 이제 내년에는 감추어진 진실들이 밝혀진다고 하니, 나의 시간이 올지도 모르겠다.

올해는 코로나바이러스와 백신 접종으로 인해서 그 부작용이 컸고, 사람들도 많이 죽어서 마음고생이 심했다. 내가 세상에 등장하는 것이 코로나바이러스를 종식하는 해법이라고 믿고 노력했지만,

쉽사리 마음대로 되지 않는 현실 앞에 좌절한 적도 많았다. 무엇보다 건강이 너무 안 좋았기 때문에, 세상에 나설 생각을 하지 못했던 것 같다. 전시 상황이라고 불완전한 백신으로 생체실험하는 듯한 느낌을 받았고, 각국 정부에서 거의 강제 접종을 시행하는 바람에 더욱 힘들었다. 하나님의 유전자를 없애기 위한 음모라는 말도 나왔다. 백신에 기생충과 나노 생물이 들어있다는 말도 나왔다. 인간의 자유의지와 자연스러움을 손상하려는 자들의 악행을 보면서 생명의 위협을 느꼈다.

하지만, 인간 세상은 인과로 이루어져 있고, 내가 어쩔 수 없는 현실 앞에서, 어둠이 짙으면 빛이 더욱 커진다는 생각으로 위안 삼을 수밖에 없었다. 불완전한 백신의 강제 접종으로 바이러스의 변이를 촉진하고, 빠르게 팬데믹을 종식할 수 있는 것이 아닌지 하는 생각도 들었다. 바이러스는 변이할수록 증상이 가벼워지기 때문에, 종식에 가까워진다고 생각했다. 그러나, 그 모든 가능성에도 내 마음은 너무 불편하다. 팬데믹을 해결하기 위해서 전 인류가 힘을 모으는 것이 아니라, 돈을 벌기 위한 수단으로 이용하고, 지축 정립의 위기를 막기 위해서, 인구를 감축하기 위한 시기로서 이용할 수 있다는 사실에 절망하고 절망했다.

그러나 나는 점점 건강을 회복하고 있다. 나의 사고는 좀 더 차분하고 분명해져 간다. 스마트폰에 중독되어 자연스러운 뇌파를 유지하지 못한다면, 창조력이 감퇴하는 것이 아닐지 하는 생각도 들었다. 그래서 꼭 필요할 때만 보려고 하지만, 편리성의 유혹 때문에 절제하지 않으면 떨쳐내기 힘든 것 같다. 모든 세계가 연결되어 있고, 세계에 참여하기 위해서는 스마트폰을 주로 사용해야 하므로 한계점도 있다. 중요한 정보를 가진 사람이라면, 그 정보가 유출될 수 있는 위험에 놓여있는 것은 사실이다. 나의 권능과 힘도 누군가의 의지에 의해 도구로써 사용될 수도 있는 것이 이 세계의 현실일까.

나는 최근 내가 원하는 바를 명령하기로 했다. 그것은 내면에서 느껴지는 진리였다. 원하는 것을 세상에 명령하라는 것이었다. 생각만으로는 부족했기에, 노트북에 남기기로 했다. 서체의 아름다움이 창조력에 날개를 달아줄 것이라고 믿는다.

그리고 또 한 가지는 기후 위기의 해법을 알아냈다는 것이다. 나의 운명이란, 하느님의 존재를 밝히는 것이었는데, 그것만으로 많은 문제가 해결된다고 하니, 이상하고, 가슴 벅참을 느낀다. 이런 위기의 시국에서 패권과 지배가 중요하다고 생각이 되지 않는다. 이럴 때는 누구나 힘을 모아서 인류를 구해야 한다. 상생이 아니라, 싸우려고 하고, 이익을 독점하려는 자들은 먼저 피해를 볼 것이고, 상생하고 서로 돕는 자들은 하늘을 감동하게 해 복을 받을 것이다. 이런 생각이 마치 동화에나 나오는 유치한 해피엔딩으로 생각하지 마라. 동화는 진리를 담고 있는 고전이다.

나는 2021년을 돌아보면서, 죽을 고비를 넘겨가는 나 자신에게 명예의 훈장을 수여하고 싶다. 나는 2022년도 대통령 선거에서 당선될 수 있도록 준비해 왔고, 비전도 명확하게 만들어왔지만, 자금이 없고, 나이 제한으로 인해 출마조차 할 수 없는 상황이다.

2018년 한 역술인은 내가 대통령이 되면 문재인 대통령보다 국정을 잘 운영할 수가 있고, 2022년도에도 정치권에만 있었다면, 대통령에 당선되는 좋은 운이라고 했는데, 실제로 당선될 수는 없다고 했다. 지금 상황을 보아도 시간이 별로 없고, 가능성이 없어 보인다. 하지만, 나는 원래 숨어서 잘하는 사람이니, 국가의 발전과 인류를 구원하기 위해서 문제의식을 느끼고 살아간다면, 화평한 세상을 함께할 수 있을 것이라고 생각한다. 2021년 고생 많았다. 2022년에는 좋은 일들이 많이 생겼으면 좋겠다.

2021/12/29

임인년을 맞이하며

벌써 동지가 지났다. 동지가 지나면서 내년 기운이 미리 들어온다고 하는데, 벌써 기운을 받는 것 같다. 임인년은 목용신인 나에게, 화생토가 잘 되는 나에게 정말로 좋은 운이라고 들었다. 기분 좋을 일이 많을 것이라는 말을 들었는데, 벌써 그런 조짐이 느껴진다. 급하게 그동안 썼던 일기들을 모아서 책 세 권으로 출간했는데, 친구에게 선물했더니 너무 좋다며 극찬을 들었다. 나는 그에 용기를 얻어, 다른 지인 몇 명에게 선물로 보냈다. 타로 카페에서도 좋은 반응을 얻었다. 페이스북에서도 의외의 사람들이 '좋아요'를 눌러주었다. 블로그에 홍보 글을 올릴 때도 참 기분이 좋았는데, 이번에는 책을 선물 받은 친구가 후기를 댓글로 남겨주어서 홍보에 큰 도움이 되었다. 그 친구에게 너무나 감사하다. 나는 역사를 선포하는 의미를 갖고, 평화를 위한 길에 들어섰다고 생각하는데, 세상에 얼마나 널리 펼쳐질 수 있을지는 미지수이다. 널리 알려져서 뜻을 실현하고, 돈도 많이 벌었으면 좋겠다.

친구의 후기가 보물처럼 나에게 너무나 큰 힘이 되었기에 실어본다. 내 일기책의 첫 번째 독자의 반응이 좋았기에, 더욱 자신감을 갖고 세상에 도전할 수 있었음에 감사한다.

친구가 써 준 첫 번째 일기책 '나를 찾아서' 후기

"첫 장부터 멋짐이 폭발한다. 저자 정영록 너무 멋지다! 철학적이면서 이성적이고 아름답다~ 시대를 초월한 저자의 직관과 통찰이 보인다. 문구 하나하나가 인상 깊다~ '나를 자유롭게 할 거야. 눈물이 날 정도로 나를 사랑해. 나는 꼭 인정 받을거고, 사랑받아야만 해. 그런 운명이야. 난 그걸 알지.' 이 책은 이 시대를 살아가는 히든카드가 될 수도 있을 거란 생각이 든다. 진짜인 나와 친해질 수 있는 책. 주옥같은 메시지들을 전해주는 첫 번째 일기? 다음 편이 기대된다- 내가 지금껏 읽어온 그 어느 베스트셀러 책보다 감히 좋다고 말할 수 있다! 저자의 건승과 앞날의 축복을 빈다! 사랑해요."

"저자만의 창의적인 비유와 표현들~ 수준 있고 재밌고, 감동이다. 내용이 알차다. 저자의 바람대로 너도나도 이 세상을 감동시킬 수 있지 않을까 기대해 본다. 어서 빨리 두 번째, 세 번째 다이어리도 읽어봐야지!"

친구가 써 준 두 번째 일기책 '나비, 날다' 후기

"이 도서를 읽게 되어서 너무 감사하다. 영적인 성숙과 즐거움, 고민 해결, 혜안이라는 선물을 얻게 되는 것 같다! 훌륭하다! 선한 영향력이다! 내 마음속엔 이미 베스트셀러이다! 나만 보고 싶은 밀리언셀러~"

"1편에 이어 2편도 읽어 보았는데, 삶에 대한 호기심을 가지게 만들어 주고, 강렬한 해답을 주는 책이라고 생각한다. 역시나 한 장 한 장 내용이 알차다. 읽을 게 참 많다. 고민과 걱정이 많이 사라지고, 지혜 또한 얻게 되는 것 같다. 한 장 한 장 읽을수록, 정말 영혼의 열매를 얻게 되는 것 같다~ 세 번째 다이어리도 기대된다!"

2021/12/29

나는 유능하다. 나의 뿌리는 오래된 것이다. 이런 정신을 오래도록 이어올 수 있었던 것이 감동적이다. 아직 끝나지 않았다. 처음에는 어떤 직업을 갖고 특별한 무언가를 해야 한다고 생각했지만, 결국은 글을 쓰고, 생각하고, 의도하고, 추구심을 갖는 것만으로 최선을 다하는 것이다. 내가 깨닫게 되면 세상도 깨닫는 것이기 때문이다. 내가 공부하는 것만으로, 내면의 평화를 유지해 가는 것만으로, 세상은 안정될 것이다.

그동안 모르는 척했다. 세상은 나의 능력을 빼앗고, 그들이 원하는 대로, 나를 도구로 활용하기 위해서 방해하기도 했지만, 나는 누구보다 유능한 사람이다. 아무런 죄책감은 없다. 나는 단지 내 운명을 실현해 나갈 뿐이다. 고요한 나의 정신을 존중하고, 사랑의 마음을 잃지 않으려는 것만으로 국민들과 인류는 좋아질 것이다. 모든 것은 생존의 문제가 해결되지 않아서 악행이 솟아나는데, 생존의 문제를 해결할 수 있으니, 그보다 더한 경사가 어디 있겠는가. 선도 존재하고, 악도 존재하라. 단, 악의 지배는 용서할 수 없다.

내년에는 공부하기 좋은 시기라고 하는데, 나는 무슨 공부를 하면 좋을까. 경제 공부, 재테크 공부가 필요할 것 같다. 인문학은 내

안에 있는 것이고, 사주나 타로 공부도 좋겠다. 책을 다섯 권이나 출간했더니, 부자가 된 기분이다.

2021/12/30
어려움을 주는 세상

신인으로 거듭난 내가 위기나 어려움에 몰린다면, 해법이 마련된다는 생각이 있다. 그래서 이 세계는 나를 점점 더 어려움에 처하게 하고, 문제를 해결하려고 하는지도 모르겠다. 그래서 마음 같아서는 스마트폰도, 노트북도, 모두 끊고, 아무런 감시를 받지 않는 세상에서 기도하며 살아가고 싶다는 생각도 든다.

하지만, 한편으로는 명확하게 문자화하여 생각을 표현할 수 있는 것은 알파파 뇌파를 자극하여, 창조적인 결과로 이끌어 낼 수 있다는 생각이 든다. 스마트폰보다는 노트북을 이용해서 세상을 알아보는 것이 좋을 것 같다. 어려움에 처하게 하는 세상을 원망해야 하는가. 어둠이 있기에 빛이 있다며 이해해야 하는가. 많은 생명이 죽어가고 있다. 죽음이 어렵지 않게 느껴지는 세상에 살고 있다. 하지만, 결국은 상생의 시대로 나아갈 것이다. 나는 그렇게 믿고 있다.

유튜브에서 기웃거리다 보면, 내가 재생하지 않은 영상들이 갑자기 열려서 자동으로 재생이 되는 경우가 있었다. 벌써 두 번이나 있었다. 나를 조종하려는 것과 같은 의심스러운 상황이고, 매우 불쾌하다.

2021/12/30

아무리 비전도 명확하고, 담대함을 갖추었더라도, 나이라는 법적인 제한이 있는 상황에서 대통령이 되겠다고 할 수는 없는 노릇이다. 악법도 법이지 않은가. 다만 대선 이후의 남북 관계에 영향을 미칠 수 있도록, 대선 결과가 드러나기 전에 확정적인 역사를 만천하에 공표할 필요는 있을 것이다. 나에게는 남북문제뿐만 아니라, 코로나 문제, 기후 문제도 해결 과제이기 때문이다. 내가 등장하고 사람들이 인식하는 것만으로 영향을 줄 수가 있고, 문제를 해결할 수 있다. 왜 그것을 받아들이지 못하는가.

일기책 페이스북 광고를 시작했다. 지금까지 용기가 필요한 시점이 많았는데, 이번에도 그러했다. 지금은 민감한 시기이기 때문에 더욱 그랬던 것 같다. 하지만, 지금은 국민들의 힘이 가장 셀 때이다. 정권이 바뀐다면, 나의 역사는 물거품이 될지도 모를 일이다. 그래서, 늦기 전에 역사를 확정하고 싶었다. 나의 여정이 양당에 도움이 될는지는 모르겠다.

여당에는 한반도 평화의 당위성을 보여주는 것이기에 좋을 수도 있지만, 한반도 평화가 정부의 역량만으로 해결한 것은 아니라는 것을 보여주기에 나쁠 수도 있다. 야당에는 한반도 평화를 부정하는 세력들을 끌어안고 있기 때문에, 큰 역사적 맥을 이어가야 하는 부담을 불러일으킬 수도 있다. 야당이 정권을 교체할 확률이 높아 보이는데, 설사 그렇게 되더라도 평화의 국면을 이어갈 수 있게 힘을 실어주는 작업이 될 것이다. 국민들의 여론이 변화한다면, 여당이든 야당이든 그 길을 가려고 할 것이다. 이렇게 내가 할 수 있는 한 최선을 다하며 살아가는 것이다. 한반도 평화가 남한의 주체성에 기반한 성취라는 것을 많은 국민들이 받아들일 수 있을 때 진정한 비핵화는 일어날 것이다. 그 길에 힘을 실어주고 싶다.

2021/12/30
차분한 마음으로 적어본다.

모든 것이 끝나버린 느낌이다. 나는 몇 달간, 나의 오랜 기록들을 정리했다. 모든 것을 정리하고 새로운 출발을 시작해야 한다. 나는 좀 더 배우고, 성장하고, 아름답지 않은 세상과 공존하는 법을 배워야 한다. 세상이 내 마음대로 되지가 않고, 그들의 때를 봐주고, 나의 때를 기다린다. 나의 역할은 분명히 있을 것이다. 덩어리가 너무나 크기 때문이다. 이런 엄청난 에너지는 활용되어야 한다. 어떤 식으로든 드러나게 될 것이다. 차분한 느낌이 든다. 어떻게든 될 것이다.

그렇다. 나는 책임을 다하고, 내 소명을 다할 것이다. 내가 살아가는 이유는 이런 것이다. 때에 따라서 위태로워지더라도 그것은 감당해 내면 된다. 불안하고 괴로운 것도 감당해 내면 된다. 너무 오랜 시간을 혹사당했다. 이젠 좀 쉬고 싶다. 이런 내 마음에 아직도 희망이 꿈틀거린다는 것이 놀랍다. 젊은이여서 그런 거 같다.

내가 죽기 전에 이루고 가야 할 것은 분명하다. 대한민국을 독립적인 국가로 만들어야 한다. 이미 국민들은 많이 깨어나 있다. 대한민국의 정신을 바로 세우고, 창조적인 흐름을 만들어서 미래를 보장하는 국가로 만들어야 한다. 그 희망찬 길에 많은 이들이 도와줄 것이다. 그들도 평화와 번영과 안정을 바라기 때문이다. 그들에게도 자식이 있고, 아버지가 있다. 좀 더 배우고, 나를 함부로 대하는 사람들까지도 포용할 수 있어야 한다. 너무도, 너무도 어려운 길에 들어서 있다. 하지만, 나는 앞으로 운이 좋은 편이기 때문에 많은 도움을 받을 수도 있다. 언론은 주목해 주지 않을 것이다. 어쩌면 내 마음이 더 간절하지 않기 때문인지도 모른다. 스스로 바로 설 수 있어야 한다.

2021/12/31

아무리 생각해도 한국 정부는 나의 편이 아닌 것 같다. 미국이나 강대국들의 지시를 수행하는 집단일 뿐, 국민들을 진정으로 위하는 집단은 아닌 것 같다. 다른 강대국들도 탐욕으로 인류 구원에는 관심 없어 보인다. 나는 이런 세상이 싫다.

2021/12/31

인간은 부족하기 때문에 다짐을 잊고 실행함으로써 더 강해질 수 있다. 이렇게 힘든 마음을 알면서도 저항하고 투쟁한다. 하지만, 그것이 어떤 결과를 가져올지는 알 수 없는 것이다. 후회할 수도 있다. 그것이 인간의 힘이다. 인간은 기계가 아니라서 강해진다.

2022/01/03

이번에도 해답을 주세요. 하느님, 대선 정국에 대한 해답을 주십시오. 저는 어떤 행동을 할 수 있을까요. 법적으로 어찌할 수 없는 현실 앞에서 세상을 증오하고 원망하며 살아가야 할까요. 기후 위기에 대한 해답을 주신 것처럼 이번에도 해답을 주세요. 저는 당신의 뜻에 따르겠습니다.

2022/01/03

명령하는 것이 나의 일이다.

백신 접종을 대대적으로 실시하여 변이를 더욱 재촉했다고 생각을 해본다. 하지만, 이제 오미크론은 위협적이지 않은 감기 수준의 바이러스가 되었다. 더 이상 국민들을 속이며 백신 접종을 하고 국민들을 죽이지 말라. 세상을 미워하면 나도 힘들다. 결코 좋지 않다. 이젠 코로나 확진자가 줄어들고, 백신 접종은 무의미해지는 시기가 오길 바란다. 정부의 위신을 위해서 백신 때문에 방역 성공을 하였다고 자화자찬하겠지만, 그것은 중요하지 않다. 나에게는 국민들의 안위가 더 중요한 것이다. 그것은 나의 운명이다. 코로나 확진자는 500명 이하로 줄어들게 될 것이다. 아니, 그래야만 한다. 그것을 명령하는 것이 나의 일이다.

2022/01/03

자연이 한 개인을 신인으로 허락할 때는 함부로 그렇게 하지 않는다. 아무나 그렇게 된다면, 세상을 파괴할 수 있기 때문이다. 그래서 극심한 고통을 주어, 텅 빈 몸과 마음으로 만들어 낸다. 문제가 있을 때 해결을, 염원하는 것을 바라는 구조가 된다. 그래서 내가 명령하고 바라는 것들은 법도에 어긋나는 것이 아닐 것이다. 그것은 문제 해결을 위한 것이다.

인간은 부족하기에 다짐을 잊고, 행한다. 그리고 후회하게 될지라도 어떤 변화를 이끌어낼 수 있다. 나는 이미 몸과 정신이 단련되었기 때문에, 언제나 선만을 바라고. 언제나 악만을 바라지는 않게 된다. 내 세계가 운용되는 자연스러운 흐름을 통제할 수 있다고 믿는 세력들도 있겠지만, 나의 자유와 권능을 통제하고 해치려 드는 자가 있다면 몰락하길 바란다. 나는 자유롭게 날아가는 새처럼 비상할 것이다. 아무도 나의 자유와 힘을 막을 수는 없다.

나는 새로운 세상을 원하고 바란다. 기득권과 공존하고 상생할 수 있는 사회를 바란다. 선과 악이 서로 영향을 주고받으며 안녕할 수 있는 세상을 바란다. 이론적으로 아무도 패배자는 없어진다. 모두의 위기를 구할 수 있는 희망을 꿈꾸게 된다. 탐욕스러운 인간들의 시기와 질투는 내 마음을 어지럽히고, 노력과 고행에 대한 억압과

핍박은 나를 분노하게 만든다. 더 이상 선량한 사람들을 힘들게 하지 마라. 그렇지 않으면, 너희는 몰락하게 될 것이다. 매일매일 죄에 대한 처벌을 바라고 염원할 것이다. 내가 그렇게 소모되는 것을 원치 않는다면, 새로운 영성의 세계, 상생과 공존의 세계로 안내하고 길을 열어라. 그것이 너희들이 현재 할 수 있는 최선이다. 나를 이용해 보라. 내 인생에 불가능은 없다.

2022/01/03

일기책을 만든 이후로, 글쓰기에 의무감을 느낀다. 내가 느낀 것들, 역사적 사실들을 기록해 놓아야 한다는 생각이 든다. 한 역술인에게 기해년, 경자년, 신축년 3년 동안 기회를 잘 잡아야 이후의 삶에서 고속도로를 탄다고 들었는데, 정말로 고통스러운 시간이었다. 무속에서 말하는 대운의 징조를 느낄 수 있는 시간이었다.

내가 공감하고 느꼈던 대운의 징조 들을 적어보겠다. 건강이 무척 악화하고, 서서히 회복되어 갔다는 것. 집의 바닥을 뜯고 공사를 했다는 것. 집의 화초가 너무나 잘 자란다는 것. 가전제품을 여러 가지 교체를 했다는 것. 해바라기 액자를 걸기 시작했다는 것. 얼굴에 화색이 좋아지고, 웃음이 끊이질 않는다는 것. 좋은 꿈을 많이 꾼다는 것. 나를 걱정하던 가족들이 나를 좋게 봐준다는 것. 죽음에 대해서 생각할 정도로 바닥을 찍었다는 것 등이 있다.

인생에서 가장 큰 대운이라고 하는데, 그 의미가 무엇인지 알 것 같다. 나는 잘 살아가고 있다. 나는 신과 인간의 경계에서 실수도 하고, 후회도 하고, 다시 바로잡고, 잊었던 다짐을 되새기면서 살아가고 있다. 내 인생에 불가능은 없다.

2022/01/03
명령한다.

한국의 코로나 확진자가 줄어들 것을 명령한다.
위중증 환자와 사망자도 줄어들 것을 명령한다.
오미크론에 대한 인식이 커져서 백신 접종의 필요성이 약해지고, 국민들은 깨어나서 백신에 저항하길 명령한다.
코로나 확진자는 500명 이하로 떨어질 것을 명령한다.
결과가 바로 나타나지 않더라도, 언젠가 그렇게 될 것을 명령한다.

2022/01/04

아무리 외쳐봐도

나는 수년 전부터 대통령이 되기 위해서 준비해 왔다. 처음에는 두려움이 많았지만, 그 두려움과 직면하면서 능력이 생기기를 간절히 바라왔다. 그렇게 몸부림치기를 수년... 나는 내가 영웅임을 각성하였고, 대한민국을 위한 올바른 비전을 세울 수 있었다. 글을 통해서 여정과 생각에 대해서 알렸다. 각종 문제 해결을 위한 해법도 마련했다. 통일의 해법, 코로나 위기의 해법, 기후 위기의 해법을 마련했다. 시대는 변화를 원하고 있었고, 시대적 과제를 해결할 수 있다는 자신감에 나의 때를 준비하고 있었던 것이다. 하지만, 나의 나이는 대통령으로 출마할 수 없는 나이였다. 전 국민을 행복하게 하고, 국가를 살릴 수 있는 길이라면, 대선 전까지 개헌이 되거나 어떻게든 길이 마련될 것으로 생각했다.

하지만, 시간이 지나도 길은 마련되지 않았다. 내가 너무 순진했던 것이다. 대선까지 시간이 얼마 남지 않았다. 나는 여기서 묻고 싶다. 현시점에서 후보자들에게 세계를 주도하고, 남북통일을 이끌며, 세계 문제를 해결하기 위한 해법이 준비되어 있느냐고 말이다. 대한민국을 한 단계 도약시키고, 선도 국가로 이끌 수 있는 비전이 있느냐고 말이다. 이것이 대전환의 시대에 한국이 나아가야 할 방향이며, 시대적 정신이라고 생각한다.

하늘의 존재를 증명하는 나를 널리 알리는 것이 기후 위기를 비롯한 세계 문제의 해법이라고 생각한다. 아무리 외쳐봐도, 젊은이의 창의적 모험에 주목해 주지 않는다. 기존 질서에 균열을 가할 수 있기 때문이다. 모두가 공존할 수 있는 세상에 살고 싶다. 국가에 믿음을 갖고, 세상을 사랑하며 살아가고 싶다.

2022/01/04

너무나 혼란스럽다. 현시점에서 대통령 선거에 출마할 수 없는 입장인데, 유력한 무속인들의 영상을 보면 난세의 영웅이 대통령이 된다는 식으로 나온다. 그것도 한두 명이 아니다. 예로부터 대통령은 하늘이 정한다고 하는데, 이제 후보 등록까지 한 달 남짓 남은 상황에서 어떤 변수가 일어날 것인가. 내가 할 수 있는 것은 죄를 지은 것들이 벌을 받도록 바라는 것밖에 없을 것 같다. 그리고 국민들이 코로나 위기에서 벗어날 수 있도록 기도하는 것이다.

오늘은 언론사에 한반도 평화를 밝히는 내 책에 대한 기사 제보를 했다. 내가 할 수 있는 최선을 다하고 나니 두렵지만 기분이 좋다.

2022/01/04

한국의 코로나 확진자 수가 줄어들길 명령한다.

위중증 환자와 사망자 수도 크게 줄어들기를 명령한다.

오미크론의 증상이 약해져서 더 이상 백신이 필요가 없는 세상을 명령한다.

생명을 경시하지 않는 세상의 도래를 명령한다.

희망을 노래하고 빛을 꿈꾼다.

2022/01/05

한국의 코로나 확진자가 줄어들고, 위중증 환자와 사망자가 줄어들길 바란다. 그것을 명령한다.

2022/01/07

정부는 방역 패스 중단하라. 미국 눈치 보며 백신 강제 접종하지 말고, 효과도 없는 백신 실패 인정하라. 너희들을 믿었던 내가 어리석다. 이제 다시는 믿을 수 없다. 백신은 효과가 없다. 특히 변이 바이러스에 효과가 없는 것은 너무나 당연하다. 세계 문제 해결에 기여하려는 패권 유지를 위해서 너무도 많은 사람들이 희생되고 있다. 인류는 너희들의 것이 아니다. 자꾸 백신으로 사람들을 죽이고 고통받게 한다면, 너희들의 미래에 재앙이 닥칠 것이다. 나의 몸에 피가 나고 고통을 받더라도 어쩔 수 없는 것이다. 나는 인류를 위해 행복을 노래하고, 문제 해결을 위해 영적 전쟁을 하고자 하는 의지가 있었지만, 가까운 사람들까지 백신 부작용으로 고통받는 시점에서 너희들을 용서할 수 없다. 지금이라도 백신의 강제 접종, 3차 접종을 중단하지 않으면, 너희들의 미래에 재앙이 닥칠 것이다. 너희들은 아버지가 없다. 너희들은 참된 가치를 모른다. 너희들은 소유의 덫에 걸린 것이다.

2022/01/07

문제는 무엇인가. 유튜브의 편리성에 기대어 스스로 생각하고 길을 열어가는 능력이 감퇴하여 간다는 것이다. 창조적인 뇌파를 가로막고 있다. 좀 더 주체적인 사고를 해야 한다. 지금으로서는 흐름에 참여하기보다 호기심을 좀 더 해소할 수 있어야 한다.

문제는 무엇인가. 미래의 내 직업이 무엇인지 모르겠다는 것이다. 대통령이 아니면, 도대체 무슨 일을 하고 살아야 할지 모르겠다는 것이다. 너무 갑갑하다. 대통령은 내가 맡아둔 직업은 아니겠지만, 오랜 시간 투자한 모든 것들이 절벽 앞에 가로막혀 있다. 이렇게 기록을 남기는 것도, 어딘가 누군가에 의해 조종될 수 있다. 하지만, 그보다 더 중요한 것은 이렇게 분명하게 생각을 정리해 봄으로써, 필요한 것들을 끌어당길 수 있다는 것이다.

사람들이 각성하고, 미래를 창조하는 속도를 따라잡을 수는 없다. 그 흐름에 맞추어 갈 뿐이다. 대권후보 들을 기반으로 미래를 상상할 수 있어야 하는데, 비전이 안 보이니, 갑갑한 현실을 연장하는 것에 그칠 것 같다는 우려가 된다. 지금으로서는 대안이 안 보인다. 그렇다면 국민들이 혁명을 일으켜야 할까? 도대체 어떻게 하면 한국의 모든 사람들이 자유롭게 공존할 수 있을 것인가. 민주당의 모든 것에 반대하지는 않는다. 다만, 국민들을 억압하는 독재 정치에 반대한다. 그들의 편만이 살 수 있게 만드는 그런 국가는 정말 싫다. 우파와 좌파가 공존할 수 있어야 한다. 대통령은 공존을 원하는 것처럼 말하지만, 실제로는 좌파의 독재정치를 원하고 있는 것 같다. 그것이 너무나 실망스럽다. 정부는 한 젊은이에게 너무나 심각한 상처를 남겼다. 그들의 정신을 부정하고 싶지는 않지만, 독재적인 세상을 만들어 가려는 그들이 너무 역겹다.

국가의 진정한 정신과 우파를 인정할 때, 좌파도 인정받을 수 있다. 이렇게 반쪽짜리 국가를 운영하려는 그 용기는 도대체 어디에서 오는가. 아마도 자기편 들이 부정을 너무나 많이 저질렀기 때문에, 그것을 가리기 위함이라면, 어쩔 수 없었을 것이다. 독재정치에 치우친 정치를 중단하고, 진정한 우파의 존재를 인정하라. 한쪽 날개로 얼마나 멀리 날아갈 수 있다고 생각하나.

2022/01/07
당신들은 어리석지 않습니다.

도와주세요. 용서하고 통합할 수 있는 국가를 만들 것입니다. 그럴 수밖에 없었던 이유가 있었을 것입니다. 한국의 미래를 위해서 도와주세요. 상생하는 세상을 위한 당신들의 노력과 노고를 이어갈 수 있게 해주세요. 당신들의 기여가 있었다는 것을 국민들이 인정할 수 있게 도와주세요. 나는 당신들을 사랑하고 싶습니다. 부디 한국의 미래를 구해주세요.

온 국민들이 모두 알고 있습니다. 이제는 통합을 위해서 힘써 주세요. 진실을 외면하지 말고, 함께 협력해서 더 부강하고 아름다운 한국을 만들어 나갈 수 있게 도와주세요. 당신들의 도움이 필요합니다. 평화통일을 향한 당신들의 과업을 완성할 수 있도록 도와주세요. 당신들은 자녀들이 있을 것입니다. 그 자녀들이 살아갈 세상, 그 자녀들의 후손들이 살아갈 세상은 평화로운 한반도가 되어야 합니다. 균형 잡히지 않은 갑갑한 한반도를 물려주어서는 안 됩니다.

국민들은 알고 있습니다. 당신들이 전쟁의 위기를 막기 위해서 노력해 왔다는 것을. 오랜 시간 통일 운동으로 많은 희생을 했다는 것을. 아무도 당신들의 기여를 부정할 수 없습니다. 하지만, 국민들의 의식 수준은 분열에서 통합을 향해 나아가고 있습니다.

중국과 미국 사이에서 신음하는 국가에서 벗어나, 동등한 힘의 균형하에서 자유롭고 평등한 국가를 만들어 가는 데 힘을 보태주십시오. 저의 믿음을 저버리지 말아 주십시오. 국가를 사랑하고 싶습니다. 청년이 국가를 사랑하고 헌신할 수 있는 환경을 만들어 가는 것은 당신들의 책무입니다. 역사에 후회 남지 않도록 생각을 바꾸어 주십시오.

2022/01/08
대통령의 자리는 비극이다.

내가 국가를 사랑할 수 없고, 국가를 대표하는 상징인 대통령을 사랑할 수 없고, 국가적 문제로부터 관심을 없애버린다면, 세상의 미래는 어떻게 될 것인가. 세상은 너의 기여가 없어도 우리끼리 잘 할 수 있다고 말하는 것 같다. 너보다 우리가 노력해서 이루어 낸 성취라고 말하고 싶은 것 같다. 그들이 정권을 다시 잡는다면, 나의 역사는 묻힐 것이고, 세상은 암흑으로 변할 것이다. 뿌리 깊은 나의 모든 역사가 정신병자의 망상이었다고 말하고 싶은 것 같다. 통일에 한해서는 자신들의 역사에 끼어들지 말고, 우리가 시키는 대로 하라고 말하는 것 같다. 문제는 무엇인가. 현시점에서 대통령의 자리는 부정을 저지를 수밖에 없고, 그 부정을 덮기 위해서는 어떻게든 정권의 재창출이 필요하기에 독재가 일어나는가. 언론의 통제가 일어난다. 투명하게 공개할 수가 없는 것이다. 대통령의 자리는 비극이다.

2022/01/08

스마트폰에 반대한다. 그래, 스마트폰만 안 하면 노트북으로 생각을 정리하고 알아본다면, 차분하게 진정할 수 있다. 노트북은 익숙하게 이용해 온 것이다. 문제는 스마트폰이다. 너무나 인간을 편하게 만들고, 의존적인 노예로 만든다.

2022/01/08

무리하게 나서지 않겠다.

자중하고, 참회하고, 성찰하는 시간을 가져보겠다. 내가 누리고 있는 감사한 것들에 대해서 생각해 보겠다. 삶을 의심하지 않겠다. 모든 것이 끝나버린 것은 아니다. 돌아갈 뿐이다. 잃은 것으로 보여도 무언가 얻는 것이 있었을 것이다. 정치는 감정적으로 하는 것이 아니다. 공존을 말한다면, 그들을 존중해야 한다. 그들 나름의 뜻이 있었을 것이다. 국가 안보에 중요한 이슈가 있었을 것이다.

정보가 부족한 내가 무엇을 알 수 있다는 말인가. 내가 쓰임을 당하고 버려지더라도 국가가 위기에서 탈출한다면, 설사 알려지지 않더라도 좋은 일이다. 심지어 많은 사람들이 나를 알아주고 있다. 경제적인 보상이 없을 뿐이다. 혼탁해진 나의 세계를 정화해야 한다. 나는 또다시 어떤 문제의식을 갖고 살아가야 하는가. 나는 이렇게 어느덧 세상으로 들어왔다. 내가 갖고 있는 에너지가 너무 거대하여 마치 폭탄처럼 생각되지만, 자리를 비집고 어떻게든 들어온 것이다.

나의 가치관은 무엇인가. 이번 일로 알게 된 것은 내가 기계가 아닌 인간이기에, 다짐을 버리고 행동할 수 있다는 것이다. 그것에 한치의 후회도 없다. 이런 변수가 변화를 만드는 것이고, 기계보다 인류가 더 위대하다는 증거이다. 누구에게도 종속되지 않은 인생을 살고 싶다. 아무런 과제도 주어지지 않고, 자유롭게 살아가고 싶다. 너무나 지쳤다. 세상은 나를 무시한 것이 아니고, 때를 기다리고 있었던 것이다. 마치 영화의 배우처럼 절망을 표현하곤 하지만, 삶이 틀리지 않았다면 나는 곧 드러나게 될 것이다. 적은 아무도 없다. 역사를 진전시키는 역할들이 존재할 뿐이다.

어둠이 걷히면 빛이 떠오른다. 그것이 실현될 준비를 하는 것이다. 모든 인류가 밤이 오면 잠을 자고, 해가 뜨면 깨어나듯이, 그렇게 아침을 기다리고 있다. 그리고 해가 떠오르면, 너무도 당연하게 태양을 맞이하게 될 것이다. 아무런 문제는 없다. 단지 때가 아니었기 때문이다. 되돌아갈 수 없는 운명 앞에 서 있다.

2022/01/09
자기 불신은 어디서부터 비롯된 것인가.

일단 노벨상 수상을 예상했지만, 받지 못했던 것에 대해서 생각해 본다. 심연에서 노벨상을 받는다고 했다. 그래서 기대를 한 것이다. 하지만, 내가 사회를 너무나 몰랐다. 국제질서를 너무나 몰랐다. 가능성을 충분히 가진 것만으로 심연의 메시지에 소름이 돋는다. 수상 시기를 유보한다면 가능할 수 있으리라. 이것은 나의 촉에 대한 부정이 될 수는 없다. 너무 큰 기대에 실망이 컸던지, 기대에 대한 믿음이 줄어든 것은 사실이다.

두 번째, 트럼프 대통령이 재선된다는 메시지를 들었다. 이것은 심연에서 들은 것은 아니고, 내가 너무 괴로워하니 하늘이 메시지를 준 것이다. 결과는 바이든 대통령이 당선되면서 틀린 것이 되었다. 하늘의 마음은 트럼프였지만, 변수가 작용한 것인가? 하늘은 그런 변수까지도 알 수 있어야 하는 것이 아닌가. 이때부터 믿음이 흔들리기 시작한 것 같다.

세 번째, 내가 대통령이 된다는 심연의 메시지. 심연에서 내가 걸어온 여정만으로 대통령이 된다고 했다. 도무지 이해할 수 없다는 식으로 생각하니, 그때가 되어보면 알게 된다는 것이었다. 걸어온 여정만으로 된다고 했을 때는 이해하지 못했지만, 내가 성배를 발견하고, 하나를 발견하고, 세계 평화를 부르짖을 수 있게 된 것을 돌아보면, 정말로 소름 돋는 예언이 아닐 수가 없는 것이다.

하지만, 지금으로서는 개헌이 되지 않는 이상, 대통령으로 출마조차 할 수가 없게 되었다. 예언이란, 발설하는 동시에 세계에 영향을 주기 때문에 실현될 수 없다는 것일까? 하지만 나는 세계의 변화를 위해서 지도자로 기대되는 것을 의도했다. 그에 대한 수확은 크다. 미래 가능성을 갖게 된 것이다. 지금으로서는 심연의 예언을 믿기는 힘들지만, 시대정신과 사주 역학, 민심의 방향성 등을 종합해 볼 때, 꼭 대통령이 되지 않아도 그에 버금가는 역할을 할 수 있을 것이다. 탄압만 받지 않는다면 말이다. 나 역시 공존을 생각하면서 발언한다면, 크게 공격받을 리는 없다. 그들은 나를 공격하기 어려울 것이다.

네 번째, 대통령이 되어야만 하는 중요성이 너무 커졌기 때문에, 몸이 안 좋아도 과민반응하고 걱정하게 되면서 불안이 증폭된 것 같다. 대운을 놓치면 안 된다고 생각했고, 그에 너무나 많은 것이 걸려있었던 것이다. 그래서 집중하다 보니 불안이 커졌고, 사주 역학이나 유튜브 타로점에 대해서도 어느 정도 의심하면서 습관처럼 즐겨보니, 어떤 정보든지 의심하는 습관이 생겼다.

그리고 코로나 백신에 대해서 국민들의 부작용이 너무나 심해지면서 국가를 믿기 어려워지고, 어떤 정보든지 거대 자본의 의도가 있다는 것을 알게 되어 더 의심하게 된 것 같다. 실제로 언론은 투명하지 않았다. 앞으로 어떻게 변해갈지 모르겠지만, 일단 그렇다. 혼돈이 길을 만들고, 그래서 혼돈을 찾아가기도 하는 나로서는 이런 의심의 활동들이 나쁘지는 않지만, 너무 지나치다 보면 길을 열기는커녕 미로 속에 갇히는 것만 같다.

가장 중요한 것은 무엇인가. 내가 스스로를 믿지 못하게 되었다는 것인데, 잘 생각해 보면 모두 시기를 유보한다면, 그 믿음을 지켜갈 수 있지 않겠나. '성배'와 '하나' 이런 것들이 장난인 줄 아나. 생각대로 이루어진다는 것이 장난인 줄 아나. 행한 대로 받는다는 것이 장난인 줄 아나. 스스로 생각할 수 있어야 한다.

나의 역사를 돌아보면, 나는 믿을만한 역사를 가졌다. 나의 역사는 세계인들이 받아들이지 않을 수 없게 되어있다. 조바심 가질 일이 없다. 이미 씨를 뿌렸다. 수확할 일만 남은 것이다. 모든 구상은 완벽하다. 시간이 걸릴 수는 있지만, 언젠가 진정한 정신을 보여주는 활동으로 새로운 질서의 주체가 될 수 있다고 믿는다.

삶을 의심하지 마라. 어차피 심연에서 들은 것이 아니면, 그 메시지가 꼭 맞지는 않더라. 너무 정확하게 잘 맞는다면, 숨 막혀서 살 수가 없었을 것이다. 의무감 속에 하루도 마음 편할 수 없었을 것이다. 이렇게 자유로움을 주면서 내가 독립적인 활동을 해 나갈 수 있도록 해주는 하늘의 배려 같은 것이다. 타로도 사주도 완전히 정확하진 않다. 큰 흐름은 있을 것이나, 틀리는 경우도 반드시 온다. 그것은 주체의 활동성을 지켜내기 위함이다. 하늘의 노예가 아니라, 하늘과 조우하면서 세계를 만들어 갈 수 있는 역사를 인류에게 선사하기 위함이다. 자신을 믿지 못하겠는가? 아니다. 아직도 삶은 여전하다. 당신은 자신을 믿을 수 있다. 이미 너무나 큰 역사가 그것을 말해주고 있다. 당신은 이미 너무 멀리 걸어왔다.

2022/01/09

오늘부터 다시 나를 다잡는다. 잊고 있었지만, 나는 촉이 좋다. 예감이 좋다. 그 예감의 구체적인 시기가 틀렸을 뿐이다. 나는 세계평화와 한국의 독립을 위해서 의미 있는 행보를 하고 있고, 바람직한 국운을 열어가고 있다. 평화를 원합니다. 마음의 평화가 지속될 수 있게 도와주세요. 세상을 아름답게 만들어 주세요.

2022/01/10

언니의 몸이 건강을 되찾을 수 있도록 명령한다.

한국의 코로나 확진자 수가 더 줄어들기를 명령한다.

위중증 환자와 사망자 수가 더 줄어들기를 명령한다.

법원의 방역 패스 철회 결정이 내려지는 것을 명령한다.

백신으로 고통받는 전 세계의 수많은 사람들의 평화를 명령한다.

나의 책과 성취가 더 널리 알려지는 것을 명령한다.

국민들이 더욱 깨어나고, 좀 더 적극적으로 표현하기를 명령한다.

처벌보다는 내가 바라는 긍정적인 미래를 명령한다.

하늘이 인정한 나의 존재를 세상이 받아들이지 않겠다면

내가 바라는 바를 공표하여 반드시 그렇게 되도록 만들겠다.

어떤 방식으로든 내가 대통령이 될 것을 명령한다.

하늘의 천사들은 나의 명령을 따라야 할 것이다.

그것은 당신들이 나를 이 세계에 내려보낸 이유이다.

2022/01/10

용서하고 싶다.

내가 걸어온 오랜 길을 이어갈 수 있었으면 좋겠다. 많이 부족한 나이지만, 하늘이 기회를 주었으면 좋겠다. 악이 득세하는 세상이 아니라, 선과 악이 공존하며 의미를 만들어 가는 세상을 바란다. 그래서 나의 존재는 필요한 것이다. 한글이 나에게 강력한 힘을 주고 있다.

모든 문물에 감사한다. 감시당하고 있다고 불평하지만, 나의 역사를 투명하게 보여줄 수 있는 기술에도 감사하다. 스마트폰에도 감사하다. 너무 편해서 나를 게으르게 만들지만, 절제하는 생활의 중요성을 일깨워 주고 있다. 나의 미래를 걱정하는 가족들에게도 감사하다. 나의 운명은 사람들에게 쉽게 이해되기 어렵지만, 그래도 내가 잘되기를 바라는 가족들에게 감사하다. 그들은 단지 모를 뿐이다. 내가 병에 걸려있기 때문에, 그에 대해서 잘 모르기 때문에 걱정하는 것뿐이다. 때로는 너무나 고통스러워서 눈물이 흐르지만, 이 모든 고통도 시간이 지나면 내공으로 자리 잡을 것으로 생각한다. 나는 충실하게 살아가고 있다. 나의 모든 노력이 궁극의 선을 가능하게 하는 세상이 펼쳐지기를 간절히 바란다. 모든 것을 용서하고 싶다. 나를 괴롭게 했던 모든 것들에 그 존재의 의미를 생각하며 용서하고 싶다.

2022/01/10

하느님 감사합니다.

언니의 건강을 지켜주셔서 감사합니다.

하지만, 국민들이 백신 부작용을 겪고 있고,

앞으로도 겪을 위기에 놓여있습니다.

부디 국민들을 지켜주세요...

저의 바람을 들어주세요...

백신의 강제 접종을 중단하도록 도와주세요...

코로나바이러스가 약화하여 정상적인 생활할 수 있게 해주세요...

2022/01/11

국민들이 백신 접종으로 고통받지 않도록 명령한다.

백신 접종이 불필요하다는 것을 더 많은 국민들이 깨닫고 저항하길 명령한다.

이와 더불어 코로나 확진자가 줄어들고 위중증 사망자가 줄어들기를 명령한다.

부자들의 인구 감축 계획이 실패하도록 명령한다.

천사들이 이를 계획하고 준비하도록 명령한다.

사람들에게 나의 존재가 더 많이 알려지길 명령한다.

나에게 더 좋은 아이디어가 쏟아지기를 명령한다.

오미크론이 확산하더라도 위중증이나 사망자가 거의 없어서

백신이 위해 하다는 것을 더 많은 사람들이 깨닫는 것을 명령한다.

내가 세상을 다시 사랑하고, 나 자신을 믿을 수 있기를 명령한다.

2022/01/12

하느님... 세상을 사랑할 수 있게 도와주십시오...

백신과 코로나로 고통받는 사람들이 없어지도록 도와주십시오...

새로운 질서를 향한 길은 너무나 고통스럽습니다...

새로운 세상은 만인이 행복한 세상이 되어야 하지 않겠습니까...

부자들의 인구 감축 계획이 실패하도록 해주십시오...

그 대신 하느님을 믿고, 모두가 구원받을 수 있도록 해주십시오...

부자들만 더 잘 사는 세상이 아니라,

가난한 사람들도 행복하게 살 수 있는 세상을 만들어 주십시오...

신기술이 개발되도록 해주십시오...

한국의 국민들이 웃는 모습을 보고 싶습니다...

전 세계의 사람들이 웃는 모습을 보고 싶습니다...

모든 진실이 깨어나고, 선과 악이, 모든 욕망이 공존할 수 있는

건강한 세상을 만들어 주십시오...

그동안 우리는 악의 지배에 너무나 힘들었습니다...

해법을 만들기 위해서 고통을 가했다고 생각하겠습니다...

그렇게나마 모든 것을 용서하겠습니다...

세상에 희망이 가득하고, 모두가 웃을 수 있는 해법을,

역사를 내려주십시오...

한국을 구해주십시오...

전 인류를 구해주십시오...

2022/01/13

명령한다.

코로나 확진자가 줄어들기를 명령한다.

위중증 환자와 사망자가 줄어들기를 명령한다.

전 세계에 코로나와 백신으로 인한 피해가 줄어들기를 명령한다.

나의 존재가 더 널리 알려지기를 명령한다.

나에게 더 깊은 지혜가 도달했으면 좋겠다.

근본적으로 도약할 수 있는 해법이 도착했으면 좋겠다.

이토록 믿지 못하는 세상이 믿을 수 있는 세상으로 바뀌었으면 좋겠다.

2022/01/13

인구를 감축하는 것이 남아있는 사람들을 살리는 것이라는 판단을 한 것 같다. 전쟁을 통해서 인구가 감축되어야 식량문제도 해결이 되고, 온난화 문제에도 도움이 되기 때문에? 진정 인구를 감축하지 않는다면, 지구에 큰 재앙이 닥치는 것일까. 노스트라다무스의 예언은 무엇인가. 종말의 시기 전까지 구원자가 등장한다면 종말은 없다고 했다. 사람들은 구원자의 등장으로 그러한 재앙을 막았다고 생각하면서도, 이미 투자한 많은 자금을 회수하고 돈을 벌기 위해 쉽게 비정한 사업을 거두지 못하는 것 같다. 그동안에도 거대 자본은 언론과 인류를 통제해 왔다. 백신 사태를 지켜보면서 그것이 더욱 확연하게 드러났다. 좀 더 갑갑한 세상에서 살든지, 좀 더 투명한 세상에서 살든지, 그 갈림길에 서 있다.

우리 국민들은 생존이 위태롭기 때문에, 나의 낯설고 위험한 미래 비전에 따르고 싶은 마음이 부족하다. 내가 믿음을 주지 못한 것이다. 게다가 코로나로 인해 너무나 지쳐있다. 그렇다고 나의 역사를 버릴 수는 없다. 어떻게든 길이 열릴 것이라고 아직도 믿고 있다. 많은 국민들이 그것을 원하고 있다. 바람은 이루어지는 것이라고 했다. 많은 것을 욕심낼 필요는 없다. 어떤 화려한 비전보다, 현재 직면한 문제를 해결할 수 있는 해법을 제시하는 것이 훨씬 더 설득력이 있는 것이다.

구원자는 무엇인가. 구원자가 인류를 구하지 못하면 그것이 구원자인가. 인류를 살릴 수 있는 해법은 내가 등장하여 새로운 질서를 만들고, 하느님의 존재를 믿게 하여, 인류를 선하게 만드는 것이라고 믿고 있다.

2022/01/14
명령한다.

한국의 코로나 확진자 수, 위중증 환자, 사망자 수가 줄어들기를 명령한다.
나의 책과 존재가 더 널리 알려지기를 명령한다.
국민들이 백신과 국제 정세, 정치 등에 더욱 깨어나길 명령한다.
국민들의 건강이 좋아지기를 명령한다.
정부의 잘못된 정책이 실패하기를 명령한다.
오로지 국민들의 생명과 재산을 지키기 위한 길이 승리하기를 명령한다.
진실이 더욱 드러나기를 명령한다.

2022/01/15

명령한다.

한국의 코로나 확진자 수와 위중증 환자, 사망자 수가 현저하게 줄어들기를 명령한다.

나의 역사적 활동이 많은 이들에게 알려지길 명령한다.

국민들이 진실을 바로 보고 좀 더 깨어나길 소망한다.

한국의 정치가 좌우의 균형 아래 발전하기를 소망한다.

부자들의 인구 감축이 실패하기를 명령한다.

인구 감축을 시행할수록 인류는 부자들에 대한 증오심이 강해질 것이고, 각종 사업에 차질이 생겨 결국 실패하게 될 것이다.

각국의 인류들은 좀 더 깨어나게 될 것이다.

저항하게 될 것이다.

건강이나 종교의 이유로 신체를 보호하고자 하는 모든 활동이 타당하게 받아들여질 것이다.

인류는 하나 됨을 종교로 삼아 좀 더 영적인 세상에서 살아가게 될 것이다.

신을 믿으면 구원받게 되고, 선하게 살아가려고 노력하게 될 것이다.

2022/01/16
삶을 의심하지 마라.

한국의 코로나 확진자가 줄어들길 명령한다. 위중증 환자와 사망자 수가 줄어들기를 명령한다. 지금, 이 전시 상황에서 살면서 정신병에 걸릴 정도로 모든 정보를 믿기 어렵고, 국가는 무너지고, 수상한 세계 단일 정부를 세우려고 한다. 그런 세상에서 살아가기 힘들 것 같은데, 앞으로 나의 운이 좋다고 한다. 그렇다면, 내가 원하는 세상이 된다는 의미가 되겠지?

나는 특별히 나를 죽이려 한 것들에 복수를 하고 싶지는 않아. 내가 잘되는 것이 복수겠지만, 그들도 그들 나름의 논리가 있었을거라고 생각해. 많이 잘되기를 바라는 마음보다, 정상적으로 직업을 갖고, 안정적인 돈벌이를 하면서 살아가고 싶을 뿐이야. 한국의 경우에도, 치우친 세력이 독재로 이끌어 가는 것을 보고 싶지 않을 뿐이지, 좌파 자체에 반대하지는 않아.

모든 것은 영원히 소유하려는 마음 때문이야. 가지고 있는 것을 영원히 더 가지려고 하다 보니, 기득권들이 세상을 멸망시키려고 한다. 그런 세계를 구해야 한다. 지금까지 전쟁이라는 인구 감축은 문제를 해결하는 해법이 되기도 했을 것이다. 상층부에서는 최후의 수단으로 그런 결단을 해왔겠지. 그래, 인류에게 전쟁은 있어왔어. 그리고 나의 마음은 잘못된 것을 바로잡기 위해서 발동해야만 해. 어떤 영웅심리를 위한 것이 아니라, 실질적으로 생명을 소중히 하는 마음으로 가는 길이야.

삶을 의심하지 마. 이미 많은 것을 이루었어. 마무리가 잘 안되고 있어. 대안이 없다면, 인구는 감축되어야 할지도 몰라. 하지만, 대안을 알고도 관성에 의해, 기존의 패권 유지를 위해, 멈추지 못해. 새로운 대안에 대해서 인류도 받아들일 수 있을까.

2022/01/16

그들이 말하는 신세계 질서에 반대한다. 인류의 몸속에 칩을 넣고, 전체주의 사회로 가는 것에 반대한다. 코로나 사태가 끝난다면, 인류는 더욱 자유를 갈망하게 되고, 그것이 자연스러운 역사의 흐름이다. 인류는 좀 더 자유를 원하게 될 것이고, 자유의 소중함을 만끽하며 행복하게 살아갈 것이다. 이것이 인류의 미래이다.

2022/01/17
자유여 오라.

살아가면서 이렇게 자유가 소중했던 적이 없었다. 자유에는 책임이 따르고, 그 책임을 가능하게 하는 것이 적당한 통제이다. 이 사회가 투명한 사회로 나아가야 한다고 생각한다. 하지만 지나친 통제가 일어난다면, 국민들은 고통받고, 의견을 자유롭게 표현하지 못하며, 억압된 채로 노예가 될 것이다. 하늘은 자유의 가치를 인류에게 가르치기 위해서 이런 시기를 준비했던 것 같다.

하지만, 너무 걱정하지 마라. 역사는 언제나 자유를 증진하는 방향으로 발전해 왔다. 죽음을 극복하려고 노력하고 나니, 그 어떤 감시적 시선에도 아무 문제가 없다. 자유롭게 생각할 수 있는 자유, 자유롭게 서성일 수 있는 자유가 나에게 있고, 이 불씨는 전 세계로 퍼져나갈 것이다. 모든 인류가 자유를 노래하며, 자유로운 세상에서 극적인 회복을 이어갈 것이다. 그동안 고생 많았던 인류에게 선물을 주고 싶다.

2022/01/18

세상을 사랑하고 싶다. 인류에게 더욱 간절해진 자유를 선물하고 싶다. 건강을 선물하고 싶다. 인류의 가장 큰 위기의 해법이 마련되어, 다 같이 살 수 있는 길로 함께 걸어가고 싶다.

2022/01/25

부담에서 벗어났다. 이로써 대통령이 되는 길은 막히게 되었다. 놀란 것은 내가 대통령이 될 수 없게 되자, 처음에는 오랜 꿈이 좌절되어 곤란했지만, 곧 마음이 너무나 편해졌다는 것이었다. 나는 국민들에 대한 의무감에서 대통령이 되려고 했던 것이지, 개인적인 욕망으로 되고자 했던 것은 아니었던 것이다.

2015년부터 심연 메시지의 영향으로, 계속 대통령이 되어야 한다는 부담을 갖고 살았고, 그 경험이 나를 고통스럽게 하면서 성장시켰던 것이다. 이 한국 사회는 영웅을 기다리고 있었고, 나는 그 기대에 부응하고자 최선의 노력을 다했던 것이다. 몸이 망가지기도 했지만, 그것이 나의 운명이려니 하고 버텼다. 나의 소명이 인류를 구원하는 것이라 믿으면서 말이다.

내가 이렇게 기록으로 남기려는 것은, 너무나 자유로운 마음에 기쁘기 때문이다. 내가 아니어도, 나의 뜻을 실현하려고 노력하는 동료가 있고, 나는 대통령이 되고자 해도 나이 제한 때문에 될 수 없는 상태이지 않은가. 이것은 오히려 나를 살린 셈이다.

정치적인 고민을 하면서 홀로 얼마나 고통받았는지 모른다. 근 2년 동안 병원이란 병원은 모두 다닌 것 같다. 그것이 내 운명이고, 국민들을 위한 길이라고 생각하며 참으려 했지만, 나는 투쟁하는 정치인에는 어울리지 않는 것이다. 이제 대통령이 되는 일은 없을 것 같다. 그 사실만으로 얼마나 행복한 일인가. 나의 적들이 나를 구해준 것이다. 죽음을 무릅쓰고 시대가 원한다면 나 하나 희생하고자 했지만, 세계가 나를 구한 것이다. 하늘이 날 구한 것이다. 나는 너무나 기쁘다. 이것은 임인년의 선물인지 모른다.

사명을 일깨우던 멘토가 다른 후보와 함께 권력 쟁취를 위해 힘쓰면서 부담이 없어졌다. 이렇게 일상이 소중한지 몰랐다. 사명을 생각하며 수년을 고통받았는데, 그 과정에서 어떤 여정의 해법을 발굴하기는 했지만, 너무 힘든 시간이었다. 이제는 아무도 나에게 권력을 가지라고 종용하지 않는다. 세상의 기대도 줄어들 것이다. 나는 세상에서 가장 소중한 자유를 얻은 것이다. 자유라는 것이 이렇게 중요한 것인지 몰랐다. 나의 적들은 나를 죽이고, 나를 사랑 충만한 하나로 만들었고, 내 앞길을 가로막으며, 가장 소중한 자유의 길로 안내했다. 나는 적들을 사랑하지 않을 수가 없게 되었다.

2022/01/27
흔들리는 믿음을 추스르다.

오랜 시간 이어왔던 믿음이 흔들린다. 대통령이 된다는 생각은 언제부터 갖게 된 것일까. 심연에서 대통령이 된다고 들었기 때문이고, 영원 회귀적 관점에서 그 메시지가 예언된다고 생각했기 때문이다. 그런 생각을 하고 있었는데, 건명원의 사명 자들을 만나고, 한 철학관에서 문재인 대통령보다 대통령의 역할을 더 잘할 수 있다고 하고, 왕의 사주라고 하고, 젊은 지도자가 대통령 된다고 하고, 여자 임금 나오고 3~4년 후에 통일되는데, 2025년 을사년에 통일이 된다고 했으니까, 2022년에 여성인 내가 대통령이 된다고 생각했다. 심지어, 그 철학관에서는 내가 정치권에 있었다면 대통령이 되었을 것이라고 했다. 그렇게 보면, 심연에서의 메시지가 전혀 이상한 것은 아닌 삶이 펼쳐진 것이다. 나의 뿌리 역할을 하는 심연에서의 메시지가 흔들리고 있지만, 그 뜻에 동조할 수 있었던 많은 이들이 존재했던 것을 생각하면, 심연에서의 메시지는 높은 가능성으로 나를 안내했던 것 같다.

내가 대통령의 사명을 생각하지 않았다면, 나를 다그치며 성장하려 노력했을까? 경제를 공부하고, 정치와 역사를 공부하려고 했을까. 고통받았지만, 그만큼 국가와 세계를 생각하고 문제의 해법을 구하며 헌신할 수 있었을까? 훌륭한 나의 여정을 만들어 온 것이다. 통일과 세계 평화의 꿈에 다가선 것이다. 새로운 질서를 만든다는 것은 꼭 대통령이 되어야 하는 것은 아니다. 나는 죽음이 있더라도 대통령이 되려고 했다. 그것이 운명이고 국민들의 바람이라면. 비록 병을 얻었지만, 내가 열어간 비전은 아직도 존재한다. 시간이 걸리더라도 언젠가 뜻이 펼쳐질 것으로 생각한다.

심연에서 내가 대통령이 된다고 했더라도 세상일과 전혀 관련이 없다면 불신하겠지만, 충분한 가능성과 비전과 문제 해결 능력이 있었기에, 심연의 경험을 신뢰할 수 있다. 하늘이 날 구한 것 같다. 그렇게 고통스러운 길을 가는 후보자들에게 나는 빚진 것이다. 뜻을 세울 수는 있지만, 정치적인 길에는 가지 않을 것 같다. 몸이 상했지만, 보석 같은 책이 다섯 권이나 생겼다. 이제 다시 나의 삶을 이끌어가야 한다. 언젠가 세상이 내가 필요할 때까지 나는 살아가야 한다.

2022/02/26

부족한 상태로 살아가는 기쁨을 누리자. 하늘은 그것을 원하신다.

2022/03/02

하느님 감사합니다.

2022/04/13

그때는 정말 위험했어. 지나고 보니 알겠어. 2017년 하반기에 정말로 전쟁이 일어날 수 있었다는 것을. 그때는 이상하게도 내면에서 튀어나오는 메시지를 여러 번 블로그에 비공개로 작성하고 싶은 충동을 느꼈던 거야. 그래서 나도 모르게 기록해 두었어. 나는 감시받는 처지였기 때문에, 그런 행동으로도 효과를 가질 수 있다고 생각했다. 하지만, 거의 순간적이고 충동적인 방식이었어. 마치 내면에서 통일의 해법을 쓰라고 나도 모르게 조종하는 것 같았지. 하늘이 세계를 구하기 위해서 감시당하고 있던 나를 통해서 역사하신 거로 생각해. 그 충동들은 절박했어. 하늘이 날 통해서 세상을 구한 거야. '예수'라는 뜻은 하늘이 구원한다는 의미야.

2022/04/15

참 오랜 시간이 흘렀다. 한동안 글을 쓰지 않았는데, 그것은 문제의식이 부족해서, 나의 몸을 치유하기 위해서 그랬던 것 같다. 이제는 몸이 좋아지고, 입식 생활의 시작으로 인해, 정신과 공간과 시간이 소중해지는 생활이 시작되었다. 그래서 문제를 설정하고, 다시 길을 열어가기로 했다. 어쩌면 이리도 나의 삶은 인류의 존속과 멸망에 영향을 끼치는 것일까. 그것은 생각하기에 따라 천국과 지옥을 오가는 것이다.

인생의 갈림길에서 나의 선택은 명확했다. 인류를 멸망시킬래, 인류를 구할래? 선택의 여지가 없었다. 그래서 큰 행보가 가능했던 것이다. 이제 한시름 놓았다고 생각했는데, 우크라이나 전쟁은 발발했고, 과거에 하느님이 나에게 전해주신 말씀을 돌이켜 보며 부족함의 미덕을 떠올려 본다. 이 부족함이라는 것은 여러모로 나에게 도움이 되는 가치였다. '하느님 나라'는 내가 세상을 통치하는 것이 아니라, 하느님이 통치해야 잘 다스려지기 때문이다. 아직도 내가 하느님인지, 하느님의 자식인지에 대해서는 판단을 보류하고자 한다.

문득 히틀러의 예언에서 정보를 접했는데, 그 내용은 21세기에 여성이 강한 힘을 발휘하는데, 그것으로 인류가 멸망할 수 있다는 것이었다. 세상이 나의 등장을 왜 그렇게 막고 있는가? 그것은 때가 무르익지 않아서, 세상이 준비되지 않아서, 내가 준비되지 않아서, 등등 여러 가지 상식적인 생각을 할 수 있지만, 내가 결혼하지 않을 수 있기 때문일 수도 있다. 이렇게 큰 질서를 만들어 놓고, 독신으로 산다면, 세상이 나를 따라 하게 되고, 인류는 멸망에 이르는 것이 아닐까. 물론 결정론에 따르면, 모든 것이 결정되어 있기에, 나는 결혼을 하고, 아이를 출산할 운명인 것이다. 내 인생의 큰 갈림길에서 언제나 인류의 멸망을 고려해야 한다는 것은 이상하고 두려운 일이다.

식량문제와 기후 문제 등 지구를 구하기 위해서 인구를 감축해야 한다는 세력에서는 나의 등장을 오히려 환영할지도 모른다. 그 결정론에 의하면 나는 결혼하지 않고, 아이를 출산하지 않을 것이기 때문이다. 한편, 나를 죽이려던 세력들은 정당성을 갖는다. 내가 세상에 등장하면, 인류가 멸망할 수 있기 때문이다. 인류를 구하기 위해서 등장해야 하고, 그 자체로 인류를 멸망에 빠뜨릴 수도 있는 것인가.

탄허 스님의 예언에서 인류의 절반 이상이 열매를 맺지 못하고 소멸한다는 내용이 있는데, 그에 내가 일조하게 되는 것일까? 나는 죽어야 하는 것일까? 얼마나, 어디까지 죽어야 하는 것일까? 나의 미움이 세상을 혼탁하게 하여, 나는 더 죽어야만 했던 것일까? 언제나 나를 죽이려는 것들이 결국 나를 행복하게 만들었다는 결론에 도달하게 되는 것일까? 그렇게 세계 평화에 다가가게 되는 것일까.

이제 문제는 무엇인가. 세상에 지나치게 나를 보이지도, 숨지도 말고, 그때그때 현재에 충실하게 살아가면 된다. 나는 세계 평화를 이루어, 백두 산족의 3000년 대운을 여는 지도자가 될 것이다. 그것은 이미 예정된 미래이다. 아무도 적대하지 않는다. 적대 한다면 내 몸이 상하는 길이기에, 그것은 허락되지 않은 길이다. 내가 훌륭해지는 길에는 적대를 녹이고, 용서하고, 인내하는 정신이 필요하다.

도덕경에서도 믿지 못할 것에도 믿어준다면, 세상의 덕이 화평해진다고 했다. 바보처럼 믿어준다. 순진하게 믿어준다. 그러면 세상이 화평해진다는 것이다. 내가 훌륭하게 성장하는 길은 그런 것이다. 나는 바보가 되어야지, 초인이나 천재가 되어서는 안 된다. 그 길이 막혀있는 것은 하늘이 세상을 다스리려고 하기 때문이다. 왜냐하면, 나의 이성은 항상 잘 작동하는 것은 아니기 때문이다. '하느님 나라'는 하느님의 것이다. 나는 하늘의 꼭두각시일 뿐, 부족한 존재인 것이다.

2022/04/20

정부는 '검수완박' 철회하고, 부정선거, 부패에 대한 죄가 있는 자들이 벌을 받게 하라. 빛나는 외교적 성과에 대해서 국민들에게 그 혜택이 돌아갈 수 있도록, 국민을 위한 정부를 꾸려가도록 하라.

2022/04/27

전쟁 종식을 희망한다.

기쁜 소식이 있어 세상에 알리려 한다. 과거에 우크라이나 전쟁에 대해서 나는 기도했었다. 어떻게 하면 전쟁을 끝낼 수 있는지 묻고, 또 물었다. 세상의 지배자들은 전쟁을 원하는 듯 보였고, 나는 확실한 이해를 갖지 못하여 종종 눈물을 흘리며 기도할 뿐이었다. 그러자, 내가 판단을 할 수 있도록, 이해할 수 있도록 도와주는 단서들이 다가왔다.

일단, 내면의 느낌은 부족한 채로 머물러 있고, 그것이 이롭다는 느낌이었다. 세계는 러시아를 적대하면서, 언론매체를 지켜보는 나의 정신을 무기로 사용하려 하는 듯했다. 각종 매체에서 적대를 종용하는 메시지를 받았던 것이다. 그럼에도 전쟁이 끝나게 해달라고 기도했지만, 하늘의 반응은 알 수 없었다. 그리고 정보들을 끌어당겼는데, 코로나와 함께 세계의 질서 변화를 위한 전쟁이 될 수 있으며, 전쟁은 예언된 사건으로, 국제질서의 변화가 한국에 이롭다는 정보였다. 나는 새로운 다극 체제의 질서를 지지하는 편이었기 때문에, 더 이상의 전쟁 종식 기도는 하지 않았다.

그러던 중 어젯밤, 전쟁에 관한 꿈을 꾸었고, 아침부터 내면에서 전쟁을 끝내야 한다는 느낌이 자꾸 떠올랐다. 이것이 기쁜 소식인 이유는, 세상이 나를 믿어줄지에 대해서 고민하기보다, 이것이 하늘의 진정한 메시지라면, 전 세계 기독교 사역자들에게도, 러시아의 정교회 지도자들에게도 전해질 수 있기 때문이다. 나만이 아니라, 그들까지도 하늘의 의도를 알아차린다면, 진정으로 전쟁이 끝날 수도 있기 때문이다.

과거에 내가 쓴 책을 읽어 보니, 전쟁은 무조건 나쁜 것이고, 해서는 안 된다는 내용이 있었다. 하지만, 내가 아무리 기도해도 역사가 원하는 전쟁이 있을 수 있다는 것을 알게 되었다. 나의 기도와 의지는 절대적인 것은 아니었나. 전쟁이라는 것은 단편적으로 그냥 나쁘다고 할 수가 없는 것이었나. 각국은 저마다의 이해관계를 가지고 있었다. 러시아는 지도자의 성명을 통해서 일주일 안에 전쟁이 끝날 것처럼 발표했으나, 무기 수출을 원하는 미국의 의도인지 모르겠지만, 전쟁은 끝나지 않았다.

하여, 나는 하늘의 의지를 실현하고자 한다. 나를 믿지 못하겠다면, 다른 사역자들에게 물어보라. 하늘은 전쟁을 끝내기를 희망하고 있다. 나는 우크라이나 전쟁을 끝내는 것을 희망한다. 나는 하늘의 인도를 받으며, 이것이 내가 할 수 있는 최선이다. 나는 전쟁이 끝나기를 희망한다. 각국의 지도자들은 유엔총장의 인도에 따라 합의점을 찾고, 전쟁을 종식하기 위한 절차에 돌입해 주셨으면 좋겠습니다. 그렇게 되기를 간절히 소망한다.

출판사 투고

2022/05/04

출판사 투고를 앞두고 있다.

출판사에 책을 투고하기 위해 준비하고 있다. 세상의 질투를 받고 외면당할 것 같다는 생각도 든다. 사람들이 좋아하는 책이라야 팔리기 때문이다. 국가의 선진화에는 인간에 관한 다양하고 깊은 통찰의 정신들이 많이 배출되어야 하며, 그에 일조할 수 있다고 생각한다. 하지만, 지금까지 내가 살아온 과정을 돌아보면, 나는 언제나 죄인이었다. 진정한 나를 드러내면, 처벌받는 사회였던 것이다. 그에 대한 분노의 마음을 녹일 수 있었으면 좋겠다.

세상에 나가는 것이 두렵다. 내가 출판계와 같은 개성 있는 자들을 위한 분야에 몸담지 않으면, 사회 어느 곳에도 진정한 나를 받아줄 곳은 없다. 하지만, 그들마저 나의 자의식 과잉에 대해 공격할지 모른다. 그런 질투 많은 한국인들을 미리 미워할 때도 있다. 그들을 위해서 나는 역사를 실현한다.

2022/05/08
출판사에 투고했다.

2019년 중순에, 출판사에 투고했던 적이 있었는데, 그때는 너무 이른 시기이고, 출판사에서도 국민들이 진실을 알기 힘들어 반응이 좋지 않을 것이라는 판단이 있었을 것 같다. 게다가 좌파 정부이고, 그들의 성과를 가릴 수 있으니 잘 될 리가 없는 것이다. 하지만, 이윽고, 정권은 교체되었고, 국민들은 진실을 원하고 있다. 시간은 무르익을 만큼 익었다고 보인다. 총 다섯 개의 원고를 투고했다. 국민들에게는 미래의 강대국인 한국을 이끌 수 있는 비전이 필요하다. 현재, 그 이외의 어젠다는 한국에 중요하지 않다. 모든 근본 문제는 통일, 그것뿐이다. 올해는 운이 좋다고 하는데, 나의 감으로는 잘될 것 같다.

2022/05/12

내 안의 상처

내가 성취하고도 눈치를 봐야 하고, 다른 분들의 도움이 컸다며 나를 죽여야 하는 한국 사회. 내가 나의 권리를 도둑맞은 느낌이다. 을이 갑이 되지 못하도록 무언의 폭력을 행사하는 사회구조가 역겹다. 그동안 나를 탄압한 것들에 대해 생각해 보았다. 내가 고난을 받음으로써 국가가 좋아질 수 있다면 그래야 하는 것인지. 상처받은 마음을 어디서 위로해야 할지 모르겠다. 나의 고통과 죽음으로 이익을 취하려는 자들. 나는 복수를 꿈꾸지 않는다. 나에게 악행을 저지른 존재들은 결국 나빠진다는 믿음이 있기 때문이다. 나는 갈 길을 가면 되고, 하늘이 나 대신 처벌할 것이다.

2022/05/12

고독하다. 마음이 아프다. 감시받는 인생도 싫고, 지나친 사명도 싫다. 모든 것이 빠르게 질서를 잡아갔으면 좋겠다. 너무 고독하고 내 편은 없다.

2022/05/13

두 군데 출판사에 투고한 지 일주일이 지났다. 불안한 마음에 타로점을 봤는데, 요 며칠간 긍정적으로 나오더니, 오늘은 결과가 안 좋게 나오기 시작했다. 출판사는 작품을 평가하는 기관이 아니라, 돈이 되는지 따져보는 이윤 창출 기관인 것이다.

나는 보수적인 한국의 출판계가 마음에 들지 않는다. 출판사에서 경직된 사회의 시선으로 검열하기 때문에 노벨문학상은 나오지 않는지도 모른다. 그것은 국민들이 얼마나 책을 사랑하고, 수준을 가졌는지에 달렸는지도 모른다. 나는 어쩌면 이렇게 사회와 대적해야 하는 운명을 가졌을까. 두 군데 투고하고 이렇게 좌절한다면 투지가 적은 거겠지. 그 정도 도전하고서 그런 마음을 먹는다며 누군가 욕할지도 모르지만, 가끔은 이런 나의 운명에 대해서 원망하고 싶다. 하늘이 사람을 크게 쓰려면 고통을 준다고 하는데, 나를 얼마나 크게 쓰시려고 이렇게 고난을 주시나. 나는 한국 사회에 반기를 드는 자이다. 현재의 한국 사회와 현실이 마음에 들지 않는데, 사회 적응이라는 이름으로, 좋다고 칭찬하고 손뼉 쳐야 한다는 사실이 싫다.

2022/05/13

역술인이 한 말

2017년에 한 유명한 역술인을 찾아갔었다. 그는 나에게 가장 좋은 운은 자식 운이라며, 결혼해야 한다고 주장했다. 그리고 적어준 간명지에 30대 운에서, 자식 대까지 이어지는 돈을 벌 수가 있다고 말해줬다. 그때는 믿기 어려웠다. 하지만, 6년의 시간이 남아있었기에 잊고 있었다. 이제 나의 30대는 2년이 남았고, 출판을 꾀하며 저작권에 대해서 알아보던 중, 저작권은 작가가 죽고 난 후, 70년 동안 유지된다는 것을 알게 되었다. 내가 30대에 책을 출판하고, 그 책이 널리 알려질 수 있다면, 역술인의 예언은 실현되는 셈이다. 그나저나 출판되어야 하는 것이다.

내가 한국을 싫어하기도 했지만, 문제상황이 있기에 나의 역할이 있는 것이다. 지옥 같은 세계가 나를 크게 만들고 있는 것이다. 탄압받았기 때문에 용사가 된 것이다. 나를 이렇게 만든 것은 국가와 사회다. 아무리 생각을 해봐도 나에게 고난을 준 것들에 대해서 원망할 수는 없다. 그들이 나를 호랑이처럼 강인하게 키운 것이다. 문제가 없으면 영웅은 할 일이 없다. 그들은 나의 직업을 만들어 준 것이다. 누군가는 악의 역할을 했어야 한 것이다. 그렇다. 세상은 사랑할 수도, 미워할 수도 없는 것이다.

2022/05/13

호랑이

너희들은 세상이 고정되고, 예측할 수 있어서 영원히 부와 명예를 유지하고 싶겠지. 그런 마음이 세상을 썩게 만든다. 이렇게 엄청난 발견과 성취가 있어도 드러나지 못하고, 권력자들에 의해서 묻혀버리는 상황이 마음에 들지 않는다. 모든 것에는 때가 있고, 언젠가 장미꽃은 필 것이다. 아직 여름이 아닌 것이다. 모든 것이 성장을 멈춘 사회가 잘 굴러가는 것처럼 포장하기 위해 언론이 존재한다. 큰 역사를 하늘이 허락한 것은 그만큼 큰 고통도 다 이해하라고 말하는 것 같다. 시야를 넓히면 많은 문제들이 작아지는 것이다. 나는 지쳐있다. 이렇게 엄청난 역사를 만들어 놓고도, 내 마음속 작은 원망으로 국민들의 마음을 얻지 못해, 외면당할 수도 있는 것이 한국 사회일 것이다. 한국인들은 질투가 심하고, 잘난 것에 대한 인정보다는, 조금만 잘못하면 깎아내리려고 한다. 적어도 지금까지 내 인생은 그랬다. 내가 살아온 시간에 운이 안 좋아서 주로 그런 사람들을 만난 것인지도 모른다. 이런 기록이 널리 알려진다면, 국민들의 마음을 상하게 하여, 책도 안 팔리고, 역사적 성취도 빼앗아 가려고 할지 모른다. 그래도 어쩔 수 없다. 나는 마음이 너무 속상하고, 그동안의 상처를 치유하기 위해 한국 사회를 마구 욕하고 싶은데, 털어놓을 곳이 없다. 한국을 사랑하고 싶다. 가로막고 탄압해도 훌륭하게 성장해서, 호랑이처럼 강하게 나를 키워줘서 감사하다고 국가에 말할 수 있는 날이 오길 바란다.

2022/05/13
세 번째 출판사 투고를 앞두고

세 번째, 네 번째 출판사에 원고 투고를 앞두고 있다. 그들의 색에 맞추어 원고를 수정해야 하는가. 도도하게 있는 그대로 자가 출판한 그대로 보낸다면, 소중한 기회를 잃게 될 것인가. 어쩌면 나는 한국 출판계에 대한 원망을 표시하고자 하는 것인지도 모른다. 이것 역시 나의 역사이며, 예술이다. 단지, 돈을 잘 벌기 위해서 내 개성을 죽이고 순응해야 한다면, 그것은 이미 예술이 아니다. 나는 한국 사회를 원망한다. 예술이 외국에 있다고, 한국적인 것은 이런 것이라고, 지금까지 주도적 역사가 진행되었던 서양의 것만이 예술이라고 주장하면서 마음속으로 나를 가로막지만, 이제 동양의 주도적 역사를 알리는 나의 등장은 필연이다. 동양이 주도적 역사를 하게 되면, 나와 같은 서구적 인물들이 많아지는 것이다.

2022/05/13
아, 너무 힘들다.

다른 출판사는 메일 읽음 표시가 되는데, 한 곳은 읽지 않은 것으로 나온다... 주말에 투고했기 때문에 무시된 것인가... 월요일에 전화를 걸어보고, 다시 한번 보내야겠다... 한국의 출판 시장을 원망했던 내가 벌을 받는 것 같다... 이대로 모든 것이 물거품이 되면 안 되는데 걱정이다... 신입 작가에게 자존심은 없다... 내 자존심보다 출판되는 것이 더 중요하다... 나의 글은 너무 도도하다... 한국 정서에 안 맞는지도 모른다.

나의 어리숙한 면들이 괴롭다. 나의 존재 자체가 십자가다. 내가 부자가 된다는 말들이 있는데, 그렇게 될 것 같지 않다. 내 글이 너무 독특해서 두렵다. 내가 너무 존재를 주장하니까 괴롭다. 평소 나의 스타일은 아니다. 하지만, 사명이 있다. 사명을 수행해야 한다. 모든 역사가 지금 내 앞에 펼쳐졌으면 좋겠다. 그래. 톨스토이도, 유명한 작가들도 거절을 많이 당했다고 했다. 나는 내가 잘났다고 말하고 싶지 않았다. 나의 역사가 중요하다고 말하고 싶지도 않았다.

나는 너무 외계인이다. 출판사마저 나를 외면한다면, 미래가 안 보인다. 이제는 세상에 나서야 하는데, 내 글이 좋다고 말하고 싶다. 개성을 죽일 수는 없다. 작가는 개성 그 자체이다. 그래도 최선을 다해야 한다. 세상은 나를 죽이려 했고, 나는 살아남았다. 그리고 나는 여생을 마무리하기 위해서 최선을 다하지 않는다. 나의 운명을 시험한다. 이제는 그렇게 뼈를 깎아내지 않아도 잘 풀리는 인생을 만나고 싶다. 나의 모든 것을 보였는데, 거부당하는 것은 두렵다. 그렇다.... 글이 나쁘다는 것이 아니다. 돈이 안 될 수 있다는 것이다. 한국적인 것은 이런 것이야. 너무 잘난척하지 말고, 겸손하게, 튀지 말고, 눈치 보고, 개성 죽이는 것. 그런데 네가 무엇이기에 튀고 있어. 너 같은 것은 참 재수가 없다고 세상이 말하는 것 같다.

분명히 기회가 올 것이다. 3년 전에는 거절당했지만, 이번에는 긍정적인 연락이 올 것이다. 그 영상으로 인도해 준 것을 보면, 그것을 알려주려고 그런 것이다. 그런 신호가 없다면 역사는 실현할 수 없다. 영적인 능력은 그런 것이다. 삶에서 힌트를 얻어 가며 나아가는 것이다. 분명히 기회가 올 것이다.

2022/05/14

더 이상 나의 목숨과도 같은 원고를 수많은 출판사들에 보내고 싶지 않다. 아이디어가 도용될 수도 있고, 간절한 입장의 나에게 그들이 공정한 계약조건을 내밀 것 같지도 않다. 그렇다. 나는 한국 사회를 불신한다. 이런 고통과 외면의 몸부림이 사회와 세상을 더 건전하게 만들기 때문에, 나의 역할을 만들어 주기 때문에 감사하게 생각해야 할까. 자유로운 생각을 가로막고, 개성을 죽이는 한국 사회가 싫다. 그런 사회의 최후가 걱정된다. 결국, 자가 출판을 통해서 알려지는 것이 가장 나을지도 모른다. 출판사들은 유명세가 확실하지 않으면 움직이지 않을 것이다.

2022/05/14

기대되는 것도 사실이다.

기득권들은 원래 통일을 좋아하지 않았다. 좌파는 통일을 지향하는 과정에 오래 머물길 바라고, 우파는 전쟁을 원하거나 북한 체제를 끌어안을 공간이 부족하여 적대하기만 했다. 하지만, 변수가 생긴 것이다. 이 사회를 크게 이끌어가고 있는 대기업들에게 세계적 리더십을 빛낼 기회가 다가오고 있다. 우파는 자유민주주의를 지킬 수 있다면 통일을 좋아할 것이다. 단, 이 사회의 지나친 갑을 관계는 청산해야 북한도 받아들일 것이다. 완전히 하나 된 '원 코리아'에는 시간이 걸릴지도 모르지만, 세계가 도와주고 있는 것이다. 기득권들이 정신 차리라고 세계 속의 한국을 자리매김하면서 리더십을 가지라고 등 떠미는 중이다. 기득권들은 과연 어떻게 처신할 수 있을지, 그들에게 기대가 되는 것도 사실이다.

2022/05/15

 어떻게 관계를 만들어 가는지 모른다. 어떻게 신뢰를 만들어 가는지 모른다. 나는 언제나 외따로 섬처럼 그렇게 서 있다. 이건 코로나 시국으로 인해 사회활동이 위축되어서 그런 것 같기도 하다. 내가 나를 규정하는 시선이 허황하지 않고, 정리가 된다면, 관계에서도 훨씬 자연스러울 것이다. 이것은 나에게 처해진 운명 탓이다. 운명이 나를 섬으로 만들었다.

 나는 참 이기적이었다. 나밖에 몰랐다. 그것은 일이 잘 안 풀리니까 어쩔 수 없었나. 더 이상 고통으로 힘들지 않았으면 좋겠다. 세상은 많이 변하고 있고, 한국 사회를 원망해서는 안 된다. 악조건의 현실 속에서도 묵묵히 제자리를 지키고 역할 하며 살아가는 사람들에게 감사해야 할 때다.

2022/05/15
위태롭다.

역시 글은 문제의식과 불안에서 나오는 것이다. 내가 위태롭다. 내 인생을 걸고 대형 출판사에 투고해서 불안해하고 있다. 원래 너무 완벽한 기획은 잘 안되더라는 인생의 경험치가 있는 것일까. 나에게 그런 행운이 있을 리가 없다고, 한국 사회는 모험적이고 창의적인 도전 싫어한다고 나 자신을 스스로 공격하고 있다.

모두가 생존이 중요하다. 생존을 위협하는 모험은 시도하려 하지 않는다. 난 이제 지쳐간다. 한국 사회에도 지치고, 내 운명에도 지친다. 좋은 운이라는 것이 꽃길처럼 펼쳐지리라는 것은 착각이었던 것 같기도 하다. 한국의 출판계는 보수적이다. 희망은 품고 있지만, 큰 기대는 못하겠다. 당당하게 일요일에 투고했기 때문에, 일주일이 지난 아직도 읽지 않은 것인지 걱정된다. 하지만, 잘 생각해 보면 3주 내로 긍정적이면 답을 주게 되어있으므로, 기다리면 글을 보긴 할 것 같다. 그럼 된 거다. 좋은 운이라는 운명이 두렵고 야속하다. 나를 놀리는 것 같다. 원하는 바람 다 이루어진다고 하는데, 과정은 미로를 헤맨다. 대충 할 수는 없다. 그래도, 그래도 최선을 다해야 한다.

2022/05/16

처음부터 아무것도 없었다. 나는 내가 누구인지 알고 싶었을 뿐이다. 그리고 15년이 지난 지금, 보물 같은 여정이 남은 것이다. 그것이 널리 알려지면 좋겠지만, 이미 여정이 남은 것이다. 내가 세운 역사를 딛고 나아간다. 나는 좀 더 길을 닦아야 한다. 내 능력은 아무것도 없다. 필요가 능력을 만든다. 아무것도 없었던 것처럼 행동한다. 필요하다면 역사가 나를 부를 것이다. 그리고 상처를 받고, 그 상처를 치유할 것이다.

내가 싸움을 싫어하고, 도저히 정치판에 나설 수 없을 것 같다는 것은 위기이자 기회이다. 나로 인해서 거친 정치판이 화합할 수 있기 때문이다. 나의 길이 언젠가 국가의 지도자로 예정되어 있다면, 정치판은 변할 것이다. 정치판의 싸움은 근본적으로 미국과 중국의 싸움이기에, 그 전에 질서가 바로잡혀야 한다. 중국인들과 미국인들에게도 더 좋은 세상이 될 수 있기에, 그것은 나만의 꿈은 아니다. 목표를 구하다 보면, 길은 열릴 것이다. 그것을 알기에 나를 반대하는 권력자들은 나를 좀 더 방해할 것이고, 아직도 나에게 악행을 행하는 자가 있다면 하늘이 용서치 않을 것이다.

2022/05/21

능력을 잊는 이유

자기 능력을 잊고 사는 이유는, 어려움에 처했을 때 도와주는 능력을 알고 있기 때문이다. 필요한 것을 끌어당긴다. 그렇기에 몰라야 한다. 그래서 자유이고, 또 자유이다.

2022/05/26

왜 한국에서 노벨상이 안 나오냐고? 아무리 피를 흘리며 역사에 헌신하고 글을 써도, 출판사에서 막고 있기 때문이다. 진실을 세상이 알게 해서는 안 되기 때문에, 작가가 없는 게 아니라, 생존을 담보로 이 사회가 선진화를 막는 것이다. 한국은 언제나 서양을 추종하고, 우리는 따라가고, 그런 전략 이제는 싫다. 소중한 것은 외부에 있다고, 우리는 하찮다고 끝없이 말하는 것 같은 이 사회가 너무 싫다. 국가에 헌신하고 대단한 가치를 창출해도 조명해 주지 않는 사회, 여기는 한국이다.

2022/05/26

어려움이 문제를 직시하게 만든다. 아무리 발버둥 쳐도 때가 되지 않으면 변화는 일어나지 않는다. 세상을 내 마음대로 주무를 수 없다. 단지, 나의 발걸음이 인류를 이롭게 할 수 있기를 바랄 뿐이다.

이렇게 자신감을 잃어갈 때, 언젠가 기회가 온다면, 소중하고 극진하게 받아들일 수 있을 것이다. 어쩌면 내가 한국 출판계를 불신하고 있기 때문에, 그런 마음이 들켜서 벌을 내리는 것인지도 모른다. 하지만, 제도권을 벗어나는 한국의 생각들은 종종 무시되는 것이 맞잖아. 그것이 현실이잖아. 이런 나의 운명 힘들어. 호랑이 꿈을 꾸면 뭐 해. 아니야. 타로 해석이 잘 안되는 거야. 가능성은 충분해. 과거의 한국이라면 불가능이지만, 대전환의 시기이기 때문에 가능성은 있어. 특정 출판사를 고집하지 마. 기회가 온다면 감사히 받아. 그들도 위험을 감수하는 거야. 그들은 내가 정치인이 될지, 노벨상을 받을지, 작가로 남을지 모르기 때문에 모험이야.

2022/05/26

힘을 내라. 넌 할 수 있다.

죽고 싶지는 않은데, 나의 글로 인해 세상이 나를 죽이려 할 것 같다. 세상에는 어리석은 자들도 많고, 변화를 싫어하는 자들도 많기 때문이다. 하지만, 나로서는 통일을 위해서 내 뜻을 펼칠 수밖에 없는 입장이다. 남들은 비웃겠지만, 이 땅의 지도자로서의 비전을 펼칠 수밖에 없다. 정신병자라는 이유로 내 뜻을 펼치는 것에 너무 저항이 크다. 일단 가족들의 고춧가루 뿌리는 시선이 있다. 그래도 나는 한국을 살리려는 것이지, 망하게 하려고 하는 것이 아니다. 세상이 나를 도와주었으면 좋겠다. 많이 좋아졌다. 이 정도면 괜찮다. 나는 강하다. 굳건하게 임무를 완수해야 한다. 꺼져가는 불씨를 살려가며 나는 이렇게 시간을 보낸다.

2022/05/30

국경의 의미

세상은 아직도 국경을 제한하여 자국의 이익을 따지고 유불리를 따지지만, 강제력이나 억압이 없는 세상에서, 상생하는 세상에서, 전쟁 없는 세상에서, 그것이 그렇게 중요할까? 모든 인류가 승리하는 미래이기 때문에, 그런 미래를 부담 없이 끌어당기는 것이다. 세계가 화합한다면 국경은 의미가 없을지도 모른다. 지금은 과도기인가. 혼란스럽다.

2022/06/01

나는 가끔 맥락 없이 어떤 행동을 하게 된다. 문득 떠오른 생각을 블로그에 비공개로 기록하고 싶을 때도 있다. 얼마 전에는 '국경이 없는데, 왜 싸우나.' 같은 생각을 기록해야 할 것 같은 생각에 행했다. 깊게 고찰한 내용은 아니라서, 지나친 생각 같아서, 지울까 하는 생각도 들었다. 그런데 오늘 아침, 갑자기 중국의 추배도 예언에서 국경이 사라진다는 내용을 본 것 같은 생각이 들어 찾아보니, 역시 그랬다. 나에게 찾아왔던 생각은 나를 깨우고, 여정을 보여주면서 미래에 다가서게 한다. 국경이 없고, 전 세계가 화합하는 장면은 어리석지 않은 것이다. 그것이 너무나 놀랍고, 추배도를 떠올리게 해준 내면도 놀랍다.

2022/06/06

기후 위기 극복

한국인들의 근성과 투지로 기후변화 문제를 풀 수 있다고 생각하는 미국인 교수의 강연을 보았다. 기후 위기의 해법을 구하며 기도했을 때, 내가 훌륭하게 성장하는 것이 해법으로 떠올랐다. 내가 훌륭하게 성장하는 것은 세상을 이해하고, 그 안에서 리더십을 발휘할 수 있다면, 인간들을 선하게 변화시킬 수 있다는 것 아닐까. 부족함을 유지해야 한다는 것은 나의 지력보다는, 인간을 사랑하는 마음이 중심이 되어 똑똑한 사람들의 도움을 받을 수 있다는 것이다.

코로나바이러스와 기후 위기가 하늘의 질서를 위한 혼란이라고 할 때, 질서가 갖추어진다면 혼란은 사라질 것이다. 하나님을 믿으면 구원받는다는 말은 이것을 말하는지도 모른다. 문제는 사람들이 하나님을 믿지 못한다는 것이다. 기적을 본 적이 없기 때문이다. 기적을 보여준다면, 하나님을 믿게 된다. 하느님이 존재하고, 인류를 구원한다는 사실만으로, 인류는 하늘의 질서에 순응할 것이다. 따라서, 나의 역사가 널리 알려져야 한다. 완벽한 지성을 보여주는 것보다 중요한 것은 충실한 여정이다. 이것이 역사적 사실이라고 믿게 하는 것이 중요하므로 어설픈 모습을 가려서는 안 된다.

2022/06/08

 2021년 2월부터 지금까지 있었던 일들에 대해서는 글을 아꼈다. 여정을 만들어 내기 힘들 정도로 건강이 나빠졌기 때문이다. 게다가 스스로 생각을 지속해 나가기 어려울 정도로, 정신은 스마트폰에 종속되어 있었다. 태어나서 그렇게 건강이 나빴던 적은 없는 것 같다. 이 모든 것은 스트레스로 인한 불안 때문이었다. 백신에 대한 스트레스도 있었다. 이제 다 지난 이야기이니, 떠올리는 것은 그만두련다.

 나는 지금 연락을 기다리고 있다. 2019년부터 내 글을 출판사에 투고했지만, 거절당했던 적이 있었다. 결국 자가 출판을 했지만, 널리 알려지는 데는 실패한 것 같아서 이번에는 한 권이 아닌 다섯 권의 책을 투고했다. 출판사에서 아주 마음에 들거나, 너무 위험해서 외면될 수 있을 것 같다.

 나의 소식에 대해 기록하는 것도 될 수 있는 대로 피하려고 했다. 누가 나의 적인지 모르는 상황에서, 나 스스로 세상을 지배하지 못하고, 누군가에게 지배당하는 것은 위험한 일이었기 때문이다. 나는 그동안 감시당하고, 탄압당한다는 생각에 지쳤다. 마음 같아서는 나를 지배하려고 하고, 조종하려고 했던 세력들을 응징하고 싶지만, 내 역사가 가리키는 방향은

'원수를 사랑하라.'
'모든 것은 순리를 따른다.'
'죽지 않고 버텨낸 것만으로 이미 이긴 것이다.'
'싸움을 끝내라.' 같은 생각이 든다.

적인 줄 알았던 존재가 나를 거듭나게 하고, 고통이 신과 더 가깝게 해주며, 능력을 깨닫게 해준다면, 나는 함부로 적을 특정할 수 없다. 그렇다. 모든 것이 하나이고, 연결된 것이다.

아무튼 나는 출판사의 연락을 기다리고 있다. 그때는 좌파 정권이고, 세상이 깨어나지 않아서 출판할 수 없었던 상황이라면, 지금은 새로운 세상을 염원하는 국민들이 많아졌고, 진실에 대한 욕망도 더 커진 듯하다. 무엇보다 평화를 자신들의 업적으로 여기려는 좌파 정권이 끝났기 때문에 출판의 가능성은 커진다. 너무 지쳤다. 모든 것에 대해서. 하지만, 이렇게 차분해진 것은 고통 덕분이다. 고통이 나를 참되게 만들어 준 것이다.

앞으로 나의 인생은 어떻게 될 것인가. 이제는 진정으로 세상에 나와서 조명받는 것인가. 영원히 숨죽이고 살아갈 수는 없는 것일까. 나의 모든 기록에 답이 있다. 스승을 멀리서 찾을 필요는 없다. 문제가 닥치면 이렇게 자판을 두드리고 해답을 찾는다. 내 안의 스승을 불러낸다.

나의 30대가 도둑맞은 느낌이다. 30대 동안에는 개인보다 사회와 국가의 문제에 골몰하면서 지내왔는데, 어느덧 40대를 바라본다. 나는 어딘가 공허하다. 사회의 매력 기준에 나를 맞추고 싶지 않다. 어딘가 기계화되고, 눈치 보며, 경직된 인간들에게, 개성이란 이런 것이라고 외치고 싶다. 한국 사회는 적당히 눈치 보며, 겸손하며, 자신을 내세우지 않는 것을 동양의 사회답게 추구하는 것 같은데, 그런 면에서 보면, 나는 어딘가 이방인 같구나. 나는 이렇게 피를 철철 흘리는 괴물이다. 전쟁에서 살아남은 괴수. 그 모든 갈등과 위기는 살아남기 위한 투쟁이다.

모든 인류의 문제를 해결할 수 있다면, 그 해법이란, 새로운 질서일 것이라 굳게 믿는다. 모두가 생존하기 위해 최선을 다하고 있다. 그리고 모두가 생존할 수 있는 길을 열어주는 것이 나의 역할이다. 이렇게 구원자로서 주장하더라도, 실제로 인류를 구원하지 못할 수도 있다. 그게 걱정이다. 나로서는 너무도 명징하게 해답이 다가온다. 예수를 믿으면, 구원받을 수 있다는 명제를 실천할 수 있도록 돕는 것. 그것이 나의 길이고, 한계일 것이다. 이렇게 의심하던 것도 현실이 되었듯이, 이번에도 그럴 것 같다는 생각이 든다. 어려운 생각은 아니었다. 많은 지성들이 이렇게 생각하고 있을 것이다. 문제는 속도와 실천의 문제이다.

저를 참되게 이끌어 주셔서 감사합니다. 좀 더 차분하고 진정한 정신으로 세상을 대할 수 있도록 이끌어 주셔서 감사합니다. 이것이 성숙이라는 것이겠지요. 저는 아직도 죽지 않고 살아있습니다. 이것은 무엇을 말하는 것인지요. 느리지만 분명한 한 걸음 내디딜 수 있는 지혜를 주십시오. 감사합니다.

2022/06/08
내가 필요한 것을 주문해 보자.
일단 세상에 대해서 좀 더 어른스러운 세계관을 가질 필요가 있다. 세계질서의 흐름이 변화하는 과정을 바라보면서 많은 이치를 깨치고 싶다.
타로 해석 기술이 향상했으면 좋겠다.
그래도 전보다는 나아진 것 같아서 다행이다.
가족들의 건강이 지켜졌으면 좋겠다.
국민들의 건강과 행복이 지켜졌으면 좋겠다.
타로에서 '동전 10번'이 결과 자리에서 7번이나 나온 것을 보면 예사롭지 않다. 내면에서 '이렇게 강조하는데 아직도 몰라?'라고 말하는 것 같다.
올해는 국민들이 행복해지는 일이 많이 일어났으면 좋겠다.

그리고 내 책이 널리 알려져서 많은 이들이 새로운 질서 아래 자유로워졌으면 좋겠다.
누구든 나를 지배하려고 하기보다, 하느님 아래 기쁨을 누릴 수 있었으면 좋겠다.
하느님 감사합니다.

2022/06/14
 내가 강해질 수 있었던 것은 상처받고 고통받을 수밖에 없었던 환경과 그것을 치유하고 극복해 낸 것, 이 두 가지다. 그래서 나에게 상처를 많이 주었던 가족과 사회에 대해서, 그렇게 원망만을 가져서는 안 된다고 생각한다.

2022/06/15
출판사에서 연락이 왔다.

 오늘은 글을 투고한 네 곳의 출판사 중, 한 곳에서 답변 메일이 왔다. 채택된 경우에만 답변을 준다는 홈페이지의 말이 있었기 때문에, 기대하고 열어 보았지만, 채택되지 않았다는 내용이었다. 그 출판사와 인연이 되길 바랐기 때문에 충격적이었다. 잘될 것이라고 기대했기 때문이다. 나는 길을 가지만, 내 예감은 과정을 가리킬 뿐, 예측은 잘 빗나가고 있다. 삶을 오래 살아본 사람도 미래는 예측할 수 없고, 확신할 수 없는 것이라고 하더니, 그 말이 맞는가 보다. 특히, 너무나 분명한 확신이나 느낌이 다가온다면, 빗나갈 확률이 큰 것 같다. 삶은 언제나 예측되고 싶어 하지 않는 속성이 있는 것 같다. 오만해진 인간을 겸손하게 만들려는 신의 의도가 숨어 있는 것 같다.

하지만, 나에겐 필요한 것을 끌어당기는 능력이 있었으니, 나의 불안함과 두려움은 오래가지 않았다. 병화 일간에게 6월의 주변 상황이 잘 진행되고 있다는 명리 유튜브 영상을 본 것이다. 이제 와서 또 다른 출판사에 투고를 해보아야 하는지 생각해 보았는데, 다른 출판사에 다섯 개나 되는, 목숨 같은 내 자식들을 보여주고 싶지 않았다. 시기가 맞지 않는다면, 결과는 뻔하기 때문이다.

나에게 아직 정보가 부족한 것인가. 나는 한때 한국의 출판 현실에 대해 비판적인 관점을 갖고 있었다. 작가들이 이 사회의 진실을 바로보기 어려운 현실이 있고, 교과서같이 바른말을 하려고 노력한다는 인상을 받았다. 그것은 작가들이 이 한국 사회에서 적응한 탓인지, 출판사에 의해 검열된 탓인지 모르겠지만, 서양의 문화나 지식을 추종하려는 분위기가 컸던 것이 사실이다.

하지만, 그 문제가 나의 터전이 된다는 것을 알았다. 한국 사회는 문제가 많기 때문에, 내가 할 일이 많아지고, 나의 존재에 더욱 가치가 생기는 것이다. 출판계뿐만 아니라, 한국 사회의 모든 분야의 종속적인 모습 속에서 가능성을 본다. 그것은 완성되지 않은 젊음과 즐거움이다. 언젠가 나는 미완성이 아름답다는 생각을 한 적이 있다. 문제가 많지만, 서서히 떠오르는 태양과 같이 해법이 다가온다면, 그 문제는 희망을 위한 것이다. 한국은 젊다. 개선될 여지가 많고, 미래가 희망적이기 때문이다.

문제라는 것은 너무 좋은 것이다. 언젠가 해법을 동반하기 때문이다. 기어 올라갈 곳이 있다는 것은 정말 기쁜 일이다. 나는 아직 젊다. 나는 네 곳 중, 한 곳의 가능성을 잃었지만, 끝까지 기다려 볼 것이다. 나는 가수 서태지의 '난 알아요'와 같은 글을 다섯 개나 투고한 것이다. 출판계의 현실을 너무 무시한 글들이다. 나는 사회와 갈등을 가질 수 있다는 것을 알고도 국가 발전을 위해서 조준했다. 그리고 세계 평화에 대한 짐을 나누고자 했다. 그래도 무시하지 않고, 답장 메일이 와서 다행이다. 오지 않았다면, 더 기다렸을지도 모른다. 그래도 몇 달간 설렘을 가졌던 시간을 위로하고 싶다.

나의 인연은 어디에 있단 말인가. 나의 괴물 같은, 피를 철철 흘리는 글을 받아줄 곳은 어디인가. 새로운 출판사를 물색해야 하는

가. 내 뜻에 동조하는 많은 사명 자들이 깨어나 나를 도와주었으면 좋겠다. 그리고 나의 불완전함에 대해서 실망하지 않았으면 좋겠다. 마지막으로 가끔 잊고 지내는 세계 평화와 인류 구원의 사명이 진도를 나갔으면 좋겠다. 신이 길을 안내해 주었으면 좋겠다.

2022/06/15
내가 원하는 것은

언제나 이른 아침에 잠이 깬다. 오늘은 한 가지 생각이 내게 왔다. 세상을 의도대로 움직여라. 주어지는 대로 살지 말고, 원하는 미래를 만들어 가라는 생각이 강하게 떠올랐다. 그렇다. 나는 요즘 주어지는 대로 살고 있다. 결과를 기다리고 있어서, 조금 느슨해진 것이 사실이다. 하지만, 이제 다시 위기의식을 느낀다. 그래도 두 달 정도는 기다려 보아야 할 것 같다. 그 이후에 새로운 방향을 설정하든지 그렇게 하면 될 것이다.

내 마음대로 창조하는 미래라는 말이 어쩐지 위험하게 여겨진다. 나에게 그런 능력이 있다는 사실을 거부하고 싶다. 그런 큰 힘에는 큰 책임이 따라오기 때문이다. 내가 위기에 몰린다면, 나는 모든 힘을 끌어와야 한다. 부족하지 않고, 만족하고 살기에 큰 힘이 불필요한 것이다. 나는 현재 위기에 몰려있다. 타로나 사주 역학에 대해서도 완전히 믿지는 않는다. 틀렸던 적도 있기 때문이다. 내가 바라는 미래는 여기 있다. 이미 많은 예상을 하고 있지만, 확신하지 않고 의심하며 지켜볼 때, 그러한 미래가 가능할 것이다. 믿음만을 갖는 것은 의심이라는 창조를 위한 정신이 사라지기에 위험한 것일까? 나는 잘 모르겠다. 인간은 기계가 아니다. 나는 잘 모르겠다는 자세가 좋다. 아이에게는 아무도 공격하지 않기 때문이다.

내가 그리는 완벽한 구상은 내 책이 세계적으로 널리 퍼지고, 인류가 하느님의 존재를 진정으로 믿게 되어, 내가 선한 영향력을 행사할 수 있고, 그로 인해 새로운 질서의 주체가 되어, 인류를 구원할 수 있게 되는 것이다. 그래서 더 이상 아무도 나에게 숙제를 던져주지 않았으면 좋겠다.

2022/06/15
나의 건강에 대해서

요즘 나는 건강하게 잘 지낸다. 그래서 간절히 신을 찾지는 않는다. 내가 아팠던 것은 좀 더 신과 가까워지는 계기를 마련해 주었다. 처음에는 내가 탄압을 받는다고 생각하며, 나의 적들을 설정하고 힘들어했지만, 지금은 그 적들이 나의 스승이라는 생각을 해본다. 내가 좀 더 참된 인간으로 거듭나게 해준 것이다. 건강의 중요성과 함께 삶이 유한하다는 것을 깨닫게 해주었다. 세계가 커진다는 것은, 그만큼 많은 것을 고려해야 하고, 스트레스 또한 커진다는 것을 의미하겠지. 그래서 앞으로의 삶이 걱정도 된다.

하지만, 요즘 좋은 꿈들을 꾸는 편이라서 큰 걱정은 하지 않는다. 이제 인생의 후반기를 준비해야 하지 않는가 하고 생각한다. 농사짓는 수확물이 가치가 있어서, 많은 이들이 신뢰하고 기뻐한다면, 나는 안정적으로 생활하며 지낼 수 있을 것이다. 적대하지 않고, 모든 것을 용서하고, 그렇게 좋은 관계를 많이 만들어 가고 싶다.

2022/06/16
자신감이 떨어졌던 것은

내가 한동안 자신감이 떨어졌던 것은 예측이 빗나갔던 기억 때문이었다. 심연의 메시지에서 비롯된 예측이었는데, 시점을 특정하여 노벨상을 받는다든지, 대통령이 된다는 예측을 했던 것이다.

하지만, 그렇게 예측하고 걸어왔던 시간이 무의미했던 것인가. 나는 사기꾼인가를 생각해 보면, 또 그렇지는 않다는 것이다. 나에게 그 메시지는 운명이었고, 천금의 가치를 갖는 것이었다. 노벨상과 대통령의 미래가 준비되었다고 생각하지 않았다면, 나는 큰 뜻을 품고, 한국과 세계의 문제를 해결하기 위해서 노력하지 않았을지도 모른다. 노벨상을 받는다고 했기 때문에 좀 더 적극적으로 통일 문제, 코로나 문제, 전쟁 종식 문제를 나의 일로 받아들일 수 있었다.

대통령도 마찬가지다. 대통령이 되려면 능력이 있어야 한다는 괴로움으로 생각을 거듭하다가, 통일과 세계 구원의 방책을 찾아낸 것이다. 한마디로 예측은 틀리기로 예정되었던 것이다. 심연의 메시지는 그 역할을 충실히 하고 있는 것이다. 그로 인해서 국민들의 인권이 높아지고, 한국의 위상 역시 나아졌으며, 국민들이 진정한 국민으로 거듭날 수 있다는 비전을 갖게 된 것 아닌가. 심연의 메시지가 틀렸다고 할 수 없다. 너무나 소중한 보물의 역할을 한 것이다. 그 메시지와 싸우면서 나는 성장했고, 세계는 확장되어 갔다. 메시지는 세계 구원을 위한 명약이었던 것이다. 동굴 속에서 불사약을 가지고 무사히 귀환한 것인가.

국민들이 진정한 주인이 된다는 비전과 통일과 선도국가의 비전만 실행할 수 있다면, 내가 굳이 대통령이 되어야 할 이유는 없다. 오히려 국민들 속에 있으므로 인해서, 국민들의 인권이 향상될지도 모르는 일이다. 지나고 보니, 나에 대한 '하락 이수'의 예언이 맞았다. '바르고 큰 군자로서, 나라를 일으키는 큰 공이 있다'고 하지 않았던가. 그것을 실현해 내고 있는 것이다. 타로는 점술이지만, 사주 역학은 예정된 큰 틀을 보여준다고 하였다. 그러니 미래에 대해서 너무 걱정하지는 말자. 내 인생에서 괴롭고 힘든 시기는 거의 끝나가는 것 같다.

누군가가 나에게 해를 가했다면, 그는 생존을 위해서 그렇게 한 것이다. 그들 안에서는 자신의 생명을 지키는 것이 선이었을 것이다. 자신의 생명을 살리기 위해서 하는 행동에 대해서 너무 괴로워할 이유는 없다. 아무리 유능한 사람이라 할지라도 실패할 것이다. 실패하지 않는 인생은 없다. 운이 좋을 때, 실패를 덜 할 뿐이다. 실패한다고 해서 무능한 것은 아니다. 많은 실패를 통해서 실수를 줄일 수 있는 것이 진정한 능력이라고 하지 않았나. 그에 비하면 나는 잘 살아가고 있다.

객관적으로 보았을 때 내가 걸어온 길은 의미가 깊다. 인생은 미스터리이고, 인간도 미스터리이다. 아마도 '모른다'의 평화는 영원히 지켜질 것 같다. 내가 할 수 있고, 달성해야 하는 것은 건강을 지켜나가며 내면의 평화를 유지해 나가는 것이다. 그것이 가장 쉬운 세계 평화의 길일 것이다.

아무쪼록 내가 지원한 출판사에서 나와 함께하자고 연락이 오길 바란다. 그런 일이 일어난다면, 정말 기쁠 것 같다. 단순히 금전을 위한 것이라기보다는, 길을 이어가고 싶고, 여정을 완수하고 싶다는 열망이다. 출판사를 통해 널리 알려지지 않는다면, 나의 길은 상상할 수 없다. 뚜벅뚜벅 걸어가서, 결국 통일과 세계 평화의 종착점에 도착하고 싶다. 인류가 나를 도와서 그렇게 이루어 낸 것이라고, 모두와 함께 기쁨을 누리고 싶다.

나의 진정한 기술은 힘을 남용하지 않는다는 것이다. '모른다'와 '없다'의 수준을 유지하며, 균형을 지켜간다는 것이다. 힘이라는 것은 필요가 없을 때는 행할 이유가 없다. 세계를 혼란스럽게 할 뿐이다. 힘은 필요가 있을 때만 발휘되면 된다. 그래서 이런 자세를 가져야 지속해서 거대한 힘을 유지해 나갈 수 있는 것이다. 가끔 떠오르는 내면의 안내를 충실하게 생각해 보고, 길을 열어 가는 것이다. 그것이 인간 세상을 널리 이롭게 할 방법이다.

2022/06/20

내 마음을 위로받고 싶다. 내 인생에 이렇게 중대한 시기는 없었다. 지금까지 그랬던 것처럼 이번에도 합격할 수 없을 것 같아. 내 기대는 항상 빗나갔었다. 이미 첫 번째 출판사에서 거절 통보를 받은 터라 더욱 자신감이 떨어진다. 물론, 내 글과 발견에 대해서는 자신 있다. 하지만, 한국 사회와 출판 현실을 고려한 판단은 다른 문제라는 것을 안다. 나라는 존재의 특수성으로 인해서 출판하는 데에는 용기가 필요하다는 것을 안다. 유튜브 타로 영상을 보면서 승리를 예감하기도 하지만, 내 인생에 그렇게 빛나는 성공이 있을 것 같지 않다는 느낌이다. 지금까지 그래왔으니까. 운이 좋아졌다고 하지만, 계속 음지에서 지낼 것만 같다. 그만큼 나의 인생은 어려움의 연속이었다. 깨지고, 무너져도, 쓰러져도, 다시 한번 일어나서 도전하는 용기에 합당한 보상을 받고 싶다.

한국 사회는 지금까지 자신들이 잘해서 큰 성취를 이루어 놓은 것처럼 자신들을 홍보한다. 그 말이 틀린 것은 아니지만, 누구든지 잘한다고 그렇게 큰 성취를 거머쥐게 될 수는 없다. 이것은 특별한 것이다. 자신들 덕택에 선진국이 되었다고 주장하는 듯한 그런 영상을 볼 때면, 같은 한국 사람으로서 미묘한 기분이 든다. 같은 국민으로서 자부심이 느껴지기도 하지만, 왠지 나의 공을 빼앗기는 느낌도 든다. 내가 이 모든 것을 담담하게 받아들일 수 있는 것은, 언젠가 세상이 나를 바르게 평가해 줄 것이라는 믿음 때문이다. 그렇지 않을 것이라면, 나의 공을 빼앗아 가는 그들을 용서할 수 없을 것이다.

한국 사회가 바르게 작동하는 것을 보고 싶다. 국민들이 궁금해하는 진실을 가리기 위해서 영양가도 없는 싸움을 벌이는 기득권 들을 바라본다. 하지만 어쩌나. 국민들의 수준이 너무 높아졌는데. 국민들은 점차 진화하고 발전해 가는데, 현실을 알게 되었는데, 언제까지 과거 논쟁으로 진실을 가릴 것인가.

나의 모든 것을 가로막는 한국 사회가 싫다. 그리고 진정한 것을 외면하고, 외국에서의 인정에 목말라 있는 모습도 싫다. 하지만, 지난번에 결론을 내린 것과 같이, 문제가 많은 한국은 개선의 여지가 많고, 젊고, 사랑스러운 것이다. 갈등은 성장을 위한 촉진제이다. 갈등의 여지가 많다는 것은 해법이 있다면 괜찮다. 언젠가 세상이 나를 인정하더라도, 그들은 나를 인정하지 않을 것이다. 내가 그들을 구했다고 세상이 말하더라도, 우리는 원래 잘하고 있었다면서 인정을 거부할 것이다. 어차피 공을 위해서 한 행동은 아니었지만, 그런 모습들을 예상해 보면, 즐겁지는 않다.

그랬구나. 나의 글은 상처를 치유하는 과정이었구나. 글을 썼기 때문에 내가 치유된 것이구나. 그렇게 나를 위로하고, 반성하고, 다짐하고, 미래를 열어갔던 것이구나. 지금 이렇게 글을 쓰고 싶은 것은 내 마음이 상처받았기 때문이구나. 39년을 사는 동안, 한국 사회가 나를 힘들게 했던 것을 생각해 보면서, 과거의 상처들이 살아난 것이구나. 그래, 힘들었구나. 아무도 널 지켜주지 않았구나.

그리고 그 쓰임을 다하고 버려졌구나. 몇 번은 죽고도 남았을 세상 속에서, 다시 살아남아서 소중한 가치를 세상에 보여주려고 애를 쓰고 있구나. 아무렇지 않은 듯 생활하지만, 실상은 너무도 큰 상처를 받았구나. 넌 위로가 필요했구나. 홀로 잘 싸워줬다고 말해줄게. 넌 작은 몸뚱어리로 많은 생각을 하면서 살아온 것이구나. 이 거칠고 무자비한 세상 속에서 너는 그렇게 살아왔구나.

2022/06/20
감사해.
나 자신을 위로하고 싶어.
내 마음속의 어린아이를 보듬어 주고 싶어.
모든 것에 대해서 사랑한다고 말하고 싶어.
이만큼 살아남은 것도 다행이라고 말하고 싶어.
이런 젊음, 이런 건강을 남겨준 운명에 감사해.
나는 죽을 수도 있었어.
하지만 나는 살아남았어.
내 인생에서 더한 어려움이 올 것 같지는 않아.
그 정도로 지독한 시험을 통과한 거야.
이제 괜찮아.
이제는 널 죽이지 못할 거야.
악마도 이제는 단념했을 거야.

빛을 향해서 뚜벅뚜벅 오랜 시간 걸어가는 길에

악마는 나를 공격하고 시험에 들게 했지만

나는 아직도 죽지 않고 살아남았어.

그래서 너무 감사해.

이런 운명, 정말 감사해.

앞으로는 작은 것에 더 감사하는 마음으로 살아갈 거야.

그 무엇이 나에게 오든지

나는 내 판단과 정신으로

중심을 잡고 걸어갈 거야.

2022/06/27

문제를 발견하고 싶다. 무언가를 더 알고 싶다는 마음도 문제를 품고 있다. 내가 더 알고 싶은 것은 미래 사회에 대한 비전이다. 하지만, 언제나 하늘은 나의 한 치 앞의 비전만을 허용하고 있다. '일단 따라와. 그다음은 나중에 알려줄게. 날 믿어.'라고 말하는 것 같다. 지나치게 통제되는 사회는 자본가들을 위한 것이다. 평범한 사람들은 자유롭고 상식적인 세상을 원한다. 부의 분배가 자연스러운 사회를 원한다. 어느 한 편이 이익을 독식하고, 영원히 소유하기 위해서 시스템을 구축하는 사회를 바라지 않는다. 그런 국민들의 마음에 힘을 거들고 싶다.

2022/06/27
무언가 간절히 바랐던 일이 일어난 적은 없었던 것 같다.

무언가를 간절히 바란다는 것은, 그 대상이 없다면 자신이 위태로울 수 있는 것이므로 약한 상태라 할 수 있다고 한다. 그래서 그렇게 약한 인간에게는 힘이 주어지지 않는 것일까. 그것을 감당할 수 있는 준비가 되어야 힘이 도래하는 것일까. 나는 한때, 대기업에 입사하고 싶어서 시험 결과를 간절히 기다린 적이 있었다. 지나고 생각해 보면, 나는 그때 참 약했다. 중심이나 철학, 가치관도 없이, 화려한 직장에 몸담고 싶은 마음이 컸던 것이다.

아, 생각해 보니 간절히 바란 것이 실현된 적이 있었다. 최근 대통령 선거에서 윤석열 대통령의 당선을 바라며 간절한 마음으로 기도한 적이 있었다. 온몸과 정신으로 당선을 바랐다. 그리고 선거 당일, 나는 무관심하게 잠들었는데, 새벽에 깨어나 보니, 역전하여 승리했다는 결과를 볼 수 있었다. 하지만, 이것은 나의 신상에 직접 관련된 것은 아니었으므로 예외로 해두자.

다시 돌아와서, 내가 간절히 취업하고자 마음먹은 곳에서 합격 소식을 들은 일은 없었다. 지금까지 5월 초부터 긍정적인 결과를 말해주는 타로 유튜브를 저장해 놓은 것만 55개가 넘는다. 그만큼 일관성 있게 나의 출판계약을 말해주고 있었다. 사주 흐름으로 봐도 그렇고, 좋은 꿈도 여전히 많이 꾸고 있다. 개인적으로 타로점을 쳐보아도 긍정적으로 나온다. 그러면 나는 출판계약을 할 수 있는가? 지금까지 내 인생을 돌아보면 가능할 것 같지 않다. 하지만, 지금까지 운이 계속 나빴다고 하니, 어떤 반전이 생길지 기대가 된다. 아니다. 기대를 버려야 결과를 얻을 수 있을 것이다. 확신하지 말자.

아아, 기다림의 시간은 나를 단련시키고 있다. 나는 끊임없이 다음 단계를 구상하고, 비전을 마련해 두어야 한다. 그것만이 나를 지키고 세상을 살리는 길이다. 나는 미래를 끌어당겨야 한다. 미래를 궁금해하고, 미래의 문제에 해법을 구하며 온전하게 세상을 지켜야 한다. 나는 에너지가 크기 때문에, 그런 사명감은 느끼고 살아야 한다. 문제라는 것은 나를 고통스럽게 했지만, 진주 같은 글을 탄생시켰고, 나를 특별한 사람으로 만들어 주었다. 누군가 예전만큼 글을 잘 쓰지 못한다면, 그것은 그 사람의 재능이 부족한 것이 아니라, 그만큼 실존적 문제에 직면하지 못했기 때문일 수도 있겠다. 목숨 걸고 문제를 해결하기 위한 글에 대적할 자는 누구인가. 그렇다. 나는 목숨을 걸었던 것이다. 문제가 너무나 중요했기 때문에, 나의 한계에 도전할 수밖에 없었다. 그런 작은 희생으로 세상이 긍정적인 방향에 한 걸음 더 다가설 수 있었기를 바란다.

2022/07/05
나 자신에게 실망했다.

남을 상처 주고 화를 내는 것은 잘 하지 않았는데, 사람이 위기에 몰리면 본질이 드러난다고, 나는 참 공격성이 많고, 불안정하고, 부족한 사람이라는 생각이 든다. 그 상담 직원이 어리숙했지만, 그래도 화를 내서는 안 되는 거였다. 하지만, 나는 화를 내고 말았고, 나 자신에 실망했다. 내가 위기에 몰렸기 때문에 화를 낸 것이고, 그럴 이유는 있었지만, 보통은 이해하고 넘어갔던 것이다. 이런 식의 자기관리라면 앞으로 위태롭다. 나는 부족한 사람이라는 생각을 늘 해야 조심하면서 갈등을 만들지 않을 수 있다. 나는 부족한 사람이다. 단지 때에 맞게 운이 좋은 것이다. 나는 부족하다. 겸손하고 낮은 자세로 손해를 보더라도 이해하고 넘어가야 마음이 편한 것이다. 내 권리를 주장하고, 만신창이가 되는 마음을 추스르기 어렵다. 나는 불안정한 사람이다. 위기가 없었기 때문에 평온을 유지할 수 있었던 것이다. 삶이란, 너무나 극단적이다. 지금은 그런 시기이니, 각별히 조심해야 한다. 힘을 가졌다면 잘 다루어야 한다. 큰 힘은 무기가 될 수 있다는 것을 명심하자.

2022/07/05
자유를 제한한다.

아직 돈을 갖지 않은 자는 충분한 자유를 누려서는 안 된다. 아니, 돈을 가져도 자기만 생각하는 자유는 금지다. 세상에 상처를 남겼기에 너무 괴롭다. 자유는 책임을 져야 한다. 나는 싸워서는 안 된다. 불완전하다. 정말 힘들다. 너무 공격적이다. 그래서 독립 투사가 잘 어울리는 것으로 해두자. 문제는 급하게 노트북이 필요했던 것이 문제였다. 내 잘못이다.

너는 그게 문제야. 너는 너를 사랑하지 않아. 세상에 노예처럼 적응하려고 하고 있어. 너만의 머리로, 너만의 생각을 지켜봐. 시간을 지켜. 흘려보내지 마. 너의 시간은 가치가 높아. 울지 마. 노예가 아니야. 이젠 너를 좀 사랑해 봐. 너를 다그치지 마. 빨리하려고 하지 마. 내가 주인이야. 아무도 나를 조종할 수 없어. 아무도 나를 막을 수 없어. 하루 종일 명상하고 기도만 해봐. 세상이 어떻게 바뀌는지 알게 될 거야.

노트북 교체

2022/07/07

오늘은 역사적인 날이다. 10년 만에 새로운 노트북으로 교체하고 시동에 성공했다. 주로 사용할 프로그램의 호환성 문제 때문에 고심했지만, 만족스러울 것 같은 예감이 든다. 고등학교 친구에게 문자가 와서 만나기로 했다. 고객센터에 연락한 것이 계기가 되어 연락이 온 것이다. 하늘은 이런 인연을 이어주려고 나를 힘들게 했을까. 신기한 일이다.

이제 알겠다. 한때는 가족관계에 대해서 절망했다. 나만의 십자가를 짊어지고, 가족들과 거리감을 가질 수밖에 없는 운명에 대해서. 어려움이 많지만, 최근 그런 어려움이 나를 강하게 만들었다는 결론을 내렸다. 외로울 수밖에 없으며, 고통받을 때 하늘을 찾게 되고, 기도하게 되며, 나는 더욱 단단해지고, 하늘과 친해지는 것이다. 그런 순간이 필요했던 것이다. 가족들은 나를 더욱 단련시키는 존재라는 것을 이제 알겠다.

2022/07/11
도와주십시오.

저의 몸과 마음을 깨끗하고, 겸손하게 지켜나갈 수 있게 도와주십시오.
지나치게 노력하지 않고, 게을러지지도 않는 삶을 살아갈 수 있게 도와주십시오.
언제나 문제의식과 호기심의 빛을 잃지 않게 해 주십시오.
성공하여 돈을 많이 벌더라도, 절약하며 검소하게 살아갈 수 있도록 도와주십시오.
저보다 약한 사람들에 더욱 관대할 수 있는 여유를 주십시오.
스스로 생각할 수 있는 시간과 여유를 주십시오.
그동안 많은 어려움에도 생명을 지켜나갈 수 있게 도와주셔서 감사드립니다.
제가 지치지 않고 과업을 완수할 수 있도록 도와주십시오.
아무것도 적대하지 않고, 모두가 승리할 수 있는 길을 열어 주십시오.

외로운 저에게 마음을 나눌 수 있는 동료를 보내주십시오.

이렇게 아름다운 한글과 마주할 수 있게 해주셔서 감사드립니다.

어려움에 처한 사람들에게 지혜의 빛을 내려 주십시오.

몸이 아픈 사람들에게 회복의 기쁨을 선사해 주십시오.

앞으로 저의 삶에 한 줌의 어려움이 함께하여, 인내와 균형의 삶을 지켜나갈 수 있게 해주십시오.

세계의 많은 사람들이 자유를 누리고, 활력을 되찾을 수 있도록 도와주십시오.

저희들은 새로운 시대에 앞서 준비하고 자신을 닦아 나가겠습니다.

세계의 많은 사람들이 일가를 이루어, 서로 돕고 살아갈 수 있는 세상을 만들어 주십시오.

네, 저는 바라는 것이 많지만, 저의 뜻과 같을 것이라고 생각합니다.

작은 존재를 유지해 나갈 수 있도록 힘을 주십시오.

2022/07/11

세계가 변하고 있다. 국제질서가 변화하고 있다. 이런 변화의 시기일수록 길을 열어나가야 한다. 처음에는 복잡해 보였던, 까마득해 보였던 문제가 이제는 세계의 변화와 비전으로 함께 보인다.

출판사의 연락을 기다리고 있는데, 타로로 속마음을 들여다보니, 며칠 전부터 긍정적으로 나오고 있다. 지금쯤이면 그들의 생각이 정리되었을 것이기에, 그 결과에 대해서 믿음을 갖고 싶다. 성공을 바라면서도 대중 앞에 나서고 싶지 않았던, 숨어서 잘하는 이는 이렇게 세상으로 나갈 채비를 하고 있다. 다행히도 세상은 나에게 맞게 변화하고 있다. 성형수술을 하거나, 정형화되지 않아도, 유튜브를 통해서 돈을 많이 벌고 있는 리더들이 있기에, 방송에서도, 사회에서도, 자연스러움을 허용하는 것 같다. 꼭, 학급의 반장 같은 캐릭터만 받아주는 것이 아니라, 나처럼 어리숙한 성격도 리더로 받아줄 것이다. 게다가, 나는 글로 표현하는 사람이지 않은가. 그러면 조금 어리숙해도 괜찮지 않을까? 이렇게 내용이 확보되면, 형식적인 부분은 조금 비워두어도 괜찮다. 결국, 아인슈타인을 지향하고 내용을 지향했더니, 내가 사회에 나갈 수 있게 된 것이다. 오래전의 그 생각은 맞았다. 예언이 되었다. '아인슈타인을 지향한다면 장수하고, 마릴린먼로를 지향한다면 단명한다.'

2022/07/12

능력이라는 것은

있다고 하면 없어지고,

없다고 하면 있게 되는 것이다.

그것은 필요와 연관되어 있기 때문이다.

그래서 '겸손'은 적절한 생존 법이 된다.

능력을 유지해 가기 위해서는

항상 필요를 지켜가야 한다.

즉, 올라갈 곳이 있어야 한다.

문제를 해결할 목표가 있어야 한다.

기대와 현실의 차이가 존재해야 한다.

그래서 내가 능력이 없다고 말하는 사람들을 원망할 수는 없다.

그들은 나의 지속 가능한 성장을 바라는 것이다.

2022/07/12

평소에 가까운 사람들에게 너무 잘해주어서는 안 된다. 잘해줄 것이라면 그 이후에도 신경을 잘 써야 하기 때문이다. 내가 그들에게 천금 같은 사랑을 주고 나서, 기대를 저버리거나 실수하게 된다면, 더 큰 상처를 주게 되는 것이다. 의사 선생님에게도 완전한 사랑을 주지는 않을 것이다. 내가 언젠가 본의 아니게 상처를 줄 수 있기 때문이다. 가족에게도 마찬가지다. 적당히 나쁜 모습도 보여주어서, 나에 대한 기대를 낮추고, 그들의 정신을 지키고 싶다. 그만큼 사랑에는 책임이 뒤따라야 하는 것이다. 감당해야 할 세계가 지나치게 클 때는 한 사람, 한 사람에게 더 깊이 배려하기 힘든 것이 사실이다. 그래서 사랑 표현은 절제하는 것이 좋을지도 모른다. 그동안 나의 방책은 바보처럼 실실거리면서, 나의 중요성을 감소시켜서, 그들의 정신을 구하는 데에 있었지만, 이제는 나이도 40세에 가깝기 때문에, 말수를 줄이고, 애정 표현을 자제하는 방식을 가져야 할 것 같다.

2022/07/12
나는 자유로울 수 있는가.

나의 작문이 사고를 확정하여 세계에 영향을 끼칠 수 있다면, 나의 모든 활동은 자유로울 수 있는가.

이 세계의 주인은 누구인가. 나는 모든 인류가 주인이라고 생각한다. 인류는 자신의 자유를 확장하기 위해 노력하고, 문제를 해결하며 나아간다. 특정한 세력의 안녕을 위해서 나의 자유는 훼손될 수 있는 것인가? 그들이 세상의 주인인가? 나머지는 노예인가? 나는 내 세계의 주인이다. 나의 작문이 세상에 악영향을 끼친다고 생각하지 않는다. 나는 몸의 도덕을 지키는 자이기에, 적대적이고 부정적인 활동은 내 몸을 해치기에 할 수 없다. 하더라도 처벌받는다.

그렇다면, 이 몸의 활동은 몸의 보전만을 지켜간다면 허락할 수 있는 것이다. 그것이 과거의 지배자들의 마음에 들지 않더라도, 세계는 나의 활동을 거부할 수 없을 것이다. 그것은 나의 생명과 자유를 확장하기 위한 활동이기 때문이다. 세계의 역사를 바꾸어 놓는 일은 많은 변화와 출혈을 동반하지만, 그것이 많은 문제 해결을 위한 해법이 된다면, 인류도 감수해야 한다.

그동안 나의 자유를 억압해 온 것들을 용서하겠다. 하지만, 더 이상 나의 자유를 빼앗으려 하다가는 온전치 못할 것이다. 나의 고통이 세상을 구원한다고 하더라도, 나는 거부하겠다. 내가 세상을 사랑할 수 없게 만드는 모든 활동들을 벌이는 자들은 온전치 못할 것이다. 나는 공존을 원한다. 인류를 노예로 부리려는 자들에게 반대한다. 새 시대에 인류는 자유를 누릴 수 있고, 그럴 자격이 있다.

2022/07/13
역사에 순응하라.

한국은 너무 좌파적으로 운영되고 있다. 이게 무슨 말이냐 하면, 정신의 가치를 섬세하게 헤아리고 제대로 존중하지 않는다는 것이다. 철저히 노예적이다. 스스로 깊이 생각할 수 없도록 사회적 압력을 가한다. 이것이 마음에 들지 않는다.

나는 한국이 자유롭고 정신의 가치를 높일 수 있는 나라가 되길 바란다. 군중 속의 누군가도 질서의 주체가 될 수 있는 나라를 꿈꾼다. 뭘 그렇게 어렵게 생각해. 즐기는 거지. 이런 식으로 진지한 사람들을 억압하고 비주류로 만든다. 근본적으로 한국을 영원히 노예로 만들어 놓고 싶어 했던 강대국들의 압력이 있었을 것이다. 나는 이것에 철저히 반대한다.

 나의 무의식 힘이 충만하다면, 이런 세상을 바꾸고 싶다. 권리가 침해당해도 모든 것을 좋다고 긍정하는 바보로 살고 싶진 않다. 더 이상 슬픈 역사의 주인공이 되고 싶지 않다. 희생자는 나 하나로 충분하다. 내가 피해의식을 갖지 않으니, 당신들이 나에게 잘못한 것이 없다고 생각하는가. 내가 용서함으로써 당신들의 죄가 없어지는 것은 아니다. 그에 대해서 조금이라도 죄의식을 느낀다면 지금부터라도 잘하라. 한국의 국민들을 주인으로 대하고, 새로운 질서를 위해서 힘을 모아라. 당신들의 힘을 지켜가기 위해서 국민들을 희생시키지 말고, 역사에 순응하라. 그것만이 너희들의 죄를 줄일 수 있는 길일 것이다.

2022/07/13

 세계를 지배하고자 하는 사람이라면, 우선 자신을 지배할 수 있어야 한다. 그것은 너무나 당연한 이치인 것이다. 나는 지난 몇 년간, 홀로 불안해하면서 길을 열어왔고, 자유를 억압하는 전자 기기적 스트레스 상황에서 건강이 악화한 것이다. 이것은 예외적인 상황이지만, 그럼에도 자신을 잘 다스려 가야 한다는 것인가. 꼭 앞에 나서서 진행할 이유는 없다. 단지, 내가 바라고 원하는 세상을 상상해 가는 것만으로 충분하지 않은가. 이런 힘에 대해서 거지같이 죄송한 마음을 가져야 하는가. 그럼에도 자신을 지배할 수 있어야 한다. 자신을 철두철미하게 알아서 다스려 나가야 한다.

2022/07/13
인간이 신이다.

나는 이미 인간이 신이라고 선언한 적이 있다. 내가 만나는 그들이 신이기 때문에, 신의 모습을 준비하자고 말이다. 우파와 좌파의 본질은 신을 중시하는지, 인간을 중시하는지가 될 것인가. 신과 연결된 특별한 품성을 중시하는지, 평범한 인간들을 중시하는 지가 될 것인가.

그렇다면, 인간을 신으로 여길 수 있는 시대에는 어떻게 되는가. 결국 크게 본다면, 대중들의 마음이 신의 마음이 아니겠는가. 그런 생각이 진정으로 현실화하기 위해서는 국가에 충만한 덕이 내려야 하는 것이다. 그런 시간과 공간에서는 비로소 통합의 길을 갈 수 있을 것이다. 유능한 사람도, 무능한 사람도, 함께 나름대로 이익을 취할 수 있을 것이다. 모든 문제는 힘이 내부에 존재할 때, 최상층의 결단에 의해 이루어지는 것이다.

더 크게 본다면, 전 세계적으로도 가능해진다. 어떤 영상을 보면,

하느님이 지상으로 내려와, 인간들과 동행하는 시대가 시작되었다고 하는데, 그것은 더 살아봐야 알 일이지만, 하느님의 역량이 어느 정도까지 현실화할 수 있는지에 따라서, 세계 평화의 시점을 앞당길 수 있을 것이다.

나는 한글의 아름다움에 매료되어 생각을 주저하지 않고 이렇게 남겨보고 있다. 이런 사소한 여정도 돌아보면, 의미가 되더란 말이다. 국경이 없어지고, 인간과 하늘이 동행하는 시대에 대한 고찰이 더 필요한 것 같다. 새로운 질서를 외치기 전에, 어떤 세상이 되어야 하는지 더 생각해 볼 필요가 있다.

2022/07/13

당신들은 알고 있어.

나는 할 만큼 했어.

목숨 걸고 싸웠고, 도전했고, 기도했어.

이제 한국 사회가 역할을 할 때가 왔어.

나 혼자서 해내는 과업이 아니야.

당신들은 나를 마중 나와야 해.

나만의 영광이 아니야.

인류 모두가 함께할 수 있는 성취야.

더 이상 홀로 피 흘리지 않아.

이렇게까지 세상이 변화하는데

시대착오적으로 과거에 머물러 있지 마.

순간의 실수가 몰락으로 갈 수 있다는 것을 명심해.

한국인으로서 인류 구원의 길을 외면하지 마.

당신들은 알고 있어.

단지, 용기가 부족할 뿐이야.

하지만 나는 당신들을 믿어.

시간이 흐르면 자연을 거스를 수 없을 거야.

대자연은 나의 편이니까.

2022/07/13
더 이상 백신을 강요하지 말라. 더 이상 국민들에게 백신을 강요하지 말라. 자유민주주의를 외치는 정권답게 스스로의 자유로운 선택을 존중하라. 외부 압력에 의해 강제한다면, 용서할 수 없을 것이다.

2022/07/14
역사를 거스를 수는 없을 것이다.

내가 사주와 운명을 믿을 수밖에 없는 이유는 있다. 실제로 살아보니, 전에는 절대로 변하지 않을 것 같은 생각도 시간이 지나면 완전히 다른 생각을 갖게 되더라는 것이다. 그때는 너무도 당연한 이치가 되는 것이다. 그래서 역사에 저항하며 바둥거리는 인간도 결국 대자연의 질서를 따르게 될 것이다. 만약, 당신이 그 질서를 거스르려는 계획을 세운다면, 저항에 부딪히고 포기하게 될 것이다. 그것을 각오해야 한다.

2022/07/14

지나친 편리함에 반대한다. 스마트폰은 인간들에게 편리함을 주었다. 누워서도 뉴스를 검색하고 쇼핑을 할 수 있었다. 하지만, 그럴수록, 삶의 주인의식을 잃어버리게 되었다. 너무 편리한 것은 인간에게 해롭다. 한 줌의 어려움이 인간을 가다듬게 만드는 것이다.

나는 최근 몇 년 동안, 노트북을 거의 사용하지 않고, 스마트폰으로 많은 일을 할 수 있었기에, 스마트폰을 주로 이용했다. 하지만, 그럴수록 나 자신이 노예가 되는 것 같은 생각이 들었다. 최근 노트북으로 사고 활동의 안정감을 느끼게 되니, 다시 문제 해결의 자신감이 생기고, 주인의식이 솟아오르는 것이었다. 그래서 내가 세상에 하고 싶은 말은 너무 편리함만을 추구해서는 안 된다는 것이다. 노트북으로 많은 일정을 소화하고, 스마트폰은 보조적으로 활용해야 한다는 생각이 들었다. 그래야 주인으로서 살아갈 수 있는 것이다. 편리함을 추구하며 나태하고 게을러질수록, 인간은 바로 세워져야 한다. 누군가의 자본적 욕망보다 중요한 것은, 인간이 주인으로 바로 서서 신과 함께 걸어 나가는 삶에 있다.

2022/07/14

가끔 타로로 미래를 점쳐본다. 아직 전문적인 수준은 아니기 때문에 참고하는 정도이지만, 불안할 때 마음을 다스리기 좋은 도구라고 생각한다. 최근까지 여러 번 국민들의 임인년 운세의 모습을 열어 보았는데, '동전 10번'이 일곱 번이나 나왔다. 그 말은 국민들이 잘살게 된다는 것일까? 그랬으면 좋겠다. 그리고 7월에 무언가를 끝내고 새 출발 하는 것으로 나왔는데, 실제로 노트북을 새로 사게 되었고, 완전히 새로운 마음가짐으로 탈바꿈하지 않았는가 말이다. 신기하다.

2022/07/14
모든 국가의 어둠이 사라진다.

한반도 평화를 이룩함으로써, 다른 나라에도 어둠이 사라지기 때문에 온 인류가 소망하는 방향이 되는 것이다. 내가 바라는 통일의 모습은 연방제가 아니다. 왜 좌파가 필요했는지에 대해서 생각을 해보면, 너무도 불평등한 사회구조가 원인이었다. 완전한 자유가 온다고 하더라도 좌파가 불필요한 것은 아니다. 언제나 뛰어난 인간과 평범한 인간 사이의 갈등은 존재할 것이다. 하지만, 나눠 먹을 파이가 커진다면, 지금처럼 극도로 대립하지는 않을 것이다. 협업하고 상생할 수 있을 것이다.

온 세계의 지식인들은 한반도 평화를 바라고 있다. 물질 시대의 노동이 필요한 시대에는 자유를 좀 더 억압해야 사회가 잘 운영되었을 것이다. 누군가는 그런 일을 해야 하는 것이었다. 하지만, 인간의 노동을 대체할 수 있는 인공지능이 발달한다면, 인간의 자유를 억압하는 면이 줄어들 수가 있다. 자유로운 활동에서 생산성이 보장되는 사회가 된다. 그렇다고 아무런 노력이나 능력도 없는데, 자유를 충분히 주어서 사회를 방만하게 만들어서는 안 된다. 적당한 규율과 규칙은 필요하다. 미래 사회에는 '인디고 아이들'이 많이 태어나고, 신성과 연결된 인류가 준비되고 있다.

2022/07/14
그게 걱정이야.

과거에 내가 썼던 일기들을 모아 만든 책을 읽어 보니, 너무 재미가 있다. 그때는 긴장과 문제의식이 강해서 글로 표현해서 정리하고자 하는 마음이 컸기에, 좋은 글이 나온 것 같다.

지금은 어떤가. 지금 나의 문제는 무엇인가. 출판사에서 연락이 오지 않는다는 것이다. 아직 7월이고, 여유가 있다고 할 수 있나. 7월이면 투고한 지 두 달이 된 시점인데, 아무리 다섯 권의 책을 투고했다고 하더라도, 메일이 와야 하는 것 아닌가. 비전은 완벽해. 새로운 질서를 위한 여정을 보여줌으로써, 인류가 이해할 수 있도록 만드는 것이야. 그것은 모두가 함께 상생하며 잘살자는 의도에서 비롯된 것이야. 이렇게 연락을 기다리기만 할 것이 아니라, 나의 미래 비전을 더욱 선명하게 만들면서 오지 않는 미래를 끌어당겨야겠어. 그리고 정 연락이 오지 않는다면, 다른 길이 마련되어 있을 것으로 생각해. 대자연이 원하는 길이라는 확신은 들어.

어쩌면 좀 더 완벽한 타이밍을 기다리고 있는지도 몰라. 부크크에 올린 내 책이 좀 더 입소문을 타고 알려졌을 때 연락이 올 것인가? 그러면 홍보비를 아낄 수 있잖아. 더 확신 있게 계약할 수 있잖아. 그래. 나는 돈을 추구하면 안 되고, 명예를 추구해야 돈이 따라온다고 했어. 계약하려는 것은 일확천금을 위한 것이 아니고, 세계평화를 위한 것. 인류 구원을 위한 것이야. 큰 뜻을 실현하기 위해서가는 수단이 되는 거야. 그런 사람이라면 계속해서 길을 만들고 비전을 키워가야 한다.

이렇게 된 이상, 내가 대통령이 될 필요는 없을 것 같아. 청와대가 국민들의 것이라며 돌려주었고, 진정한 주인의 나라로 만들겠다는 비전이 있잖아. 여기서 비핵화만 되고, 성장 동력만 확보한다면, 모두가 승리하게 될 것 같아. 내가 꼭 청와대에 들어갈 필요는 없어. 내가 원하는 것은 인간을 널리 이롭게 하려는 것이지, 지배하고자 함이 아니다. 그렇다면, 인위적인 권력은 필요 없어. 국민들의 행복을 위한 길로 가는 거야. 물론, 내 행복도 중요하지. 너무나 완벽한 구상이야. 한 가지 우려되는 것은 국민들이 나를 따라한다고 하면서 결혼을 안 한다고 할까 봐 그게 걱정이야. 그래서 나는 가급적 결혼하는 방향으로 가는 게 좋을 것 같아. 그렇다고 아무하고 결혼할 수는 없잖아. 그게 걱정이야.

2022/07/15

이렇게까지 큰 비전과 성취를 보여줬는데도 아직도 나를 억압하거나 내가 가는 길을 막으려고 하는 자가 있을 것인가? 그는 부모가 있는가?

2022/07/15

내가 북한에 간다?

일기책 세 권은 본능적으로 작성해 온 것이라서 사실 무슨 내용이 적혀있는지 정확히 기억하지 못한다. 최근에 보았더니 '평화의 빛' 이라는 세 번째 일기책에 비핵화의 해법으로 내가 북한에 가면 된다는 내용이 나와 있었다. 지금 생각해 보니, 너무나 탁월한 해법이라는 생각이 든다. 북한이 핵을 포기하지 못하는 이유는 핵을 포기하면 공격받을지도 모르는 위협 때문일 텐데, 세계 평화와 하느님을 상징하는 내가 북한에 가 있다면, 어떤 국가도 공격하기 어렵기 때문이다. 그러한 물리적인 방어 태세를 갖추어야만 비핵화가 가능할 것 같다. 하지만, 그 이전에 나의 존재가 널리 알려져서 구원자, 메시아로서 역사적 의미를 가져야 한다. 내가 북한에 가면, 처음에는 불편하겠지만, 많은 대기업들이 개발을 통해서 편의시설을 빠르게 만들어 줄 것이다. 함께 지낼 사람들과 같이 가고 싶다.

2022/07/15

황당한 일이 있었다. 내가 자가 출판 플랫폼 부크크를 통해 사이트에 올려놓은 책이 중고 상품으로 올라와 있는 것이었다. 한 번도 판매가 된 적이 없는 책이기에 황당했다. 지난번에도 '스트레인지 뷰티'와 '책임'이라는 책도 중고로 올라와 있어서 기분이 좋지 않았는데, 그때는 책을 사 갔던 사람이 중고로 판매한다고 생각했다. 하지만 오늘 사태를 확인해 보니, 이상한 조짐을 느낀다. 일반적으로 중고 상품으로 내어놓는다는 것은 그 가치가 작거나 소장할 이유가 없을 때 하는 일이다. 내가 판 적도 없는 책을 중고 상품으로 올려놓은 그 작자의 의도가 무엇인지 궁금하구나. 어쩌면 정치적인 의도가 담겨 있는지도 모른다.

2022/07/16

길이 열렸으면 좋겠다.

내가 바라는 것은 대한민국의 문제 해결이다. 권력을 가져서 마음대로 휘두르고 그런 것은 관심 없다. 단지, 국민들의 삶이 더 나아지고, 희망적으로 살아갈 수 있는 기반을 마련해 주고 싶다는 것이다. 나 역시 대한민국의 국민으로서 그것을 간절히 바란다.

죄를 지었던 사람들의 죄가 드러나서 죗값을 받았으면 좋겠다. 진정한 협치는 잘못을 묻어두고, 이해하고, 용서하는 게 아니고, 잘못된 것을 드러내고, 막다른 골목으로 몰고 가야 그제야 변화를 선택하는 것이다. 검찰 공화국이라는 이름으로 수사하는 것에 반감을 드리우고 있는데, 법적으로 큰 문제가 있는데도 덮어두는 것이 과연 국가의 미래에 도움이 될 것인가? 절대 그렇지 않다. 좌파 들은 자신들의 영속을 위해서 법을 어기고, 언론을 통제하고, 정작 국민들을 위한 정치를 하지 않은 것이다. 통일의 주도권을 가지려고 그렇게 한 것이다. 인간사 내가 원한다고 다 되는 것은 아니겠지만, 하느님이 그 죄를 판단하시어 대한민국이 협치로 갈 수 있는 길을 열어주셨으면 좋겠다. 국민들이 더욱 깨어나서, 도저히 용납할 수 없는 것에 대해서 목소리 높일 수 있었으면 좋겠다.

내가 바라는 것은 적대나 앙갚음이 아니다. 단지, 질서가 바로잡혀서 협치의 길이 열렸으면 좋겠다. 간사한 인간들은 변하지 않을 것이다. 그들이 변할 수밖에 없는 사회적 여건이 마련되길 바란다. 그것을 위해서 죗값을 치러야 한다면, 마땅히 그래야 한다고 생각한다. 결국 결정은 하늘이 할 것이다. 나는 용서하며, 길을 열어갈 뿐이다. 국민들이 비전을 갖고, 한국에서 잘 살아갈 수 있는 길이 열렸으면 좋겠다.

2022/07/16

내가 제일 싫어하는 것은 인간의 자유를 억압하는 것이다. 특히, 전자기기를 이용해서 감시하고, 거슬리는 인간을 탄압하기 위해 힘을 쓰는 것. 그것을 용납할 수 없다. 지금 시대는 그런 시대이기에 권력에 복종해야 하는가? 이렇게 개인을 탄압한다면, 이런 시스템 자체에 대해서 다시 검토해 봐야 한다. 사람들을 지나치게 편리하게 만들어서 노예로 만드는 시스템을 구상하고 기획한 자들에게 반대한다. 이 역시 하늘이 언젠가 처벌할 것으로 생각한다.

인간은 더 이상 노예가 아니다. 인간은 하늘의 자식이며, 이제는 상생하고 협력하며 인간다움을 살려가며 살아갈 수 있다. 당신들의 억압은 계획된 것이다. 하지만, 이제는 그런 억압의 필요는 없어진다. 더 이상 억압하다가는 하늘이 너희들을 용서치 않을 것이다.

2022/07/17

새로운 질서를 위한 혼란

문제는 무엇인가. 현시대의 혼란은 새로운 질서 직전의 혼란이라고 본다. 새로운 질서가 잡혀야 그들의 저항은 끝을 맺을 것이다. 그럴수록, 나는 미래 사회에 대한 구상을 넓혀가야 한다. 미래를 창조해야, 미래를 끌어당겨야, 안정적인 미래를 맞이할 수 있다는 것은 당연한 일이다.

그렇다고 나의 창조적 인생을 노예적으로 만들고 싶지는 않다. 현재 일부 강대국들에게 독점된 이익들을 분산시키고, 더 큰 힘의 지배 아래, 모든 국가가 상생의 길로 나아가는 것이다. 어떻게 하면 그렇게 될 수 있는가? 일단, 나의 역사가 세상에 드러나야 한다. 모든 전쟁은 질서를 위한 것. 저항할 수 없는 역사적 진실과 함께 인류에게 새로운 질서가 도래한다면 더 이상의 투쟁은 필요 없을 것이다. 나는 그것을 희망으로 본다. 많은 강대국들이 새로운 질서에 저항하는 듯 보이지만, 대다수 국민들은 삶이 너무 힘들기 때문에 새로운 질서의 도래를 원하고 있다.

그렇다. 나 혼자만, 한국만 잘 살 수는 없다. 그런 길은 존재하지 않는다. 시간이 지나면, 인류의 정신을 통제하고 이끄는 역사가 작동하여, 새로운 질서를 희망차게 맞이하게 될 것이다. 그날을 대비하여, 나를 가다듬어 가야 한다.

2022/07/17
욕심이 문제다.

정치인들은 자신들의 권력과 주도권을 한 여성과 국민들에게 빼앗기지 않기 위해서 국민들이 역사를 제대로 보고 각성하는 것을 막기 위해 노력한다. 별 영양가 없는 논쟁들을 기사화함으로써 국민들의 눈과 귀를 가리려고 한다. 실제로 통일의 주도 세력은 두 주류 정당이어야 하는데, 어디서 튀어나온 젊은 여자가 자신의 업적이라고 세상에 뜻을 펼치고 나섰으니, 얼마나 마음에 들지 않겠는가.

국민들이 민주당이 주도하는 통일을 반대하는 이유는 자유가 억압된 좌파적 통일일 것이기 때문이다. 국민들이 원하는 것은 자유로운 민주주의에 기반한 통일이다. 자유로운 국가에서 살 수 있다면, 성장 동력이 충만한 통일을 거부할 이유는 없다. 북한도 원할 것이다. 모두가 승리하는 통일을 이루는 것은 당연하다. 완전히 뒤집어 엎어 버리는 것이 아니라, 기득권이든, 새로운 세력이든, 모든 이들의 공로를 인정하고, 성과를 함께 나눈다면 통합은 가능하다. 단지, 구세력이 욕심을 부리는 것이 문제다.

2022/07/17

필요

잘 생각해 보면 그렇다. 나의 힘은 '필요'라는 원인에 있다는 것이다. 필요한 것을 끌어당긴다는 것이다. 그렇다면, 미래를 낙관하고 나를 믿는 것이 선이 될 것인가? 아니다. 보통의 사람이 되어, 아무것도 쉽게 믿지 않고, 미래를 확정하지 않고, 불안정함을 유지한 채로 나아가는 것이 좋은 미래를 만들어 갈 수 있다. 누군가는 내가 자신을 믿지 못하고, 믿음이 부족하다고 공격할 수 있지만, 나의 시스템은 필요에 의해 움직이기에, 철저히 보통 사람으로 살아가는 것이 욕심을 관리하면서도 경제적인 시스템이 된다. 이런 능력은 겸손하고, 소박한 자에게 도래할 것이다. 그것은 세계의 평화를 위한 것이다. 그렇다면, 나의 적들은 그 필요를 없애기 위해 노력할 것인가? 그 '필요'가 적들에게도 도움이 되는 유용한 능력이라면, 나를 막고 싶은 자들은 사라질 것이다.

2022/07/17

미워하지 마. 그들을 원망하고 미워하지 마... 그들도 같은 마음이야... 국가를 위하는 큰마음을 갖고 있어... 모두가 순수한 열망은 마음 한편에 갖고 있어... 생각보다 그렇게 나쁘지 않아... 너는 잘 모르고 있어...

2022/07/17

어려움이 약이다.

나에게 어려움이 있었기 때문에 거듭나고 성장할 수 있었다. 그래서 어려움을 쉽게 없애버려서는 안 되는 거야. 적당한 어려움과 함께 살아가야 한다.

2022/07/17

새로운 질서는 준비되었나.

미국의 패권이 약화하고 다극화된다고 해서, 전 세계가 공산화된다고 생각하지 않는다. 공산주의는 미국 중심의 자유주의로 인한 언론 장악과 내정간섭에 견디고 대항하기 위해서 포기할 수 없었던 사회체제였다고 생각한다. 미국에 대항하기 위해서는 공산화의 지속이 더 필요했을 것이다. 하지만, 미국의 내정간섭 위협이 줄어들고, 독립성을 지속하며 살아갈 수 있다면, 더 이상 공산주의를 고집하지 않을 수 있다.

중요한 것은 신성과 가까운 인류가 준비되고 있다는 것이고, 그런 인류들이 주도 세력이 될수록 공산주의에 대한 저항이 심해질 수 있다는 것이다. 그래서 미국 중심의 체제가 약화하는 것만으로 공산주의로 시름을 앓고 있는 인류에게 기쁜 소식이 될 수 있다. 전 세계 모든 인류의 신성이 강화되고 있고, 억압할수록 자유를 향한 열망이 커지고 있다. 인류가 진정한 자유를 만끽할 수 있기를 바란다.

미국에 의한 불완전했던 자유의 시대는 종식을 앞두고 있다. 하지만, 인류가 새로운 질서에 적응할 수 있을까? 새로운 질서는 준비되었나? 단지 상생하고 살아가는 것만으로 괜찮겠어? 이를 위해서는 전 세계가 한번 뒤집어져야 한다. 아, 이런 역사가 있었구나... 역사는 필연이구나.... 하고 공감을 얻을 수 있어야 한다.

2022/07/17
하느님 감사합니다.

부족한 저를 잘 이끌어 주셔서 감사합니다. 앞으로도 겸손하게 역할 할 수 있도록 도와주세요. 썩지 않게 저를 지켜주세요.

2022/07/18
버틴다.

끝까지 버티고, 확실해질 때까지 기다려야 하는 이유는 상황이 쉬워지는 순간이 온다는 것이다. 나 같은 경우는 내가 참여하지 않으면 역사가 움직이지 않는 면이 있기 때문에, 나를 빼놓고 역사가 먼저 갈 리는 없다는 것이다. 그래서 너무 불안해하지는 말고, 심사숙고하면서 몸을 아끼고, 버티고, 버티는 것이다. 생각도 처음에는 의구심이 들지만, 시간이 지나면 확실해지는 때가 오는 것이다. 그때 움직여야 위험을 최소화할 수 있다. 단, 그 과정에서 지치지 말고, 충실하게 겪어내야 한다는 것이다.

감당해야 하는 세계가 커지는 것은 두려운 일이다. 그만큼 일상과 가족과 친구들에게 소홀하게 될 수 있는 위험이 커지기 때문이다. 그래서 기본 원칙과 방향성을 지키며 살아가되, 너무 많은 사업을 벌이면 안 된다. 그러면 삶이 망가질 것이다.

하느님....
저를 바로 세워 주십시오...
어둠이 저를 지배하려 할 때는 저를 막아주십시오...
좋은 소식에 흔들리지 않는 정신을 지켜가게 해주십시오...
저도 모르게 주변 사람들을 무시하지 않게 도와주십시오....
가족들에게 조금 더 넓은 마음으로 대할 수 있도록 도와주십시오...
언제나 향상을 위한 마음과 추구 심을 갖고 살아갈 수 있게 도와주십시오....
몸과 마음을 건강하게 유지해 주십시오....
언제나 밝은 희망을 노래할 수 있게 도와주십시오....

2022/07/19

오늘부터 새로운 프로그램으로 글을 써 보기로 했다. 그동안 블로그에 글을 써오면서 편리한 점도 있었지만, 아무래도 보안이 염려되는 측면이 있었다. 이제 이렇게 글을 쓰는 것은 보안에 더 충분한 환경을 제공한다. 다만, 파일이 삭제되거나 날아간다면, 돌이킬 수 없는 상처를 남길 것이다. 그것이 문제이긴 하다. 이 부분에 대해서는 조금 더 고민해 보아야겠다.

누구도 내 생각을 보지 못한다는 것은, 내가 미래를 구상하여 나가는 데에 아무런 제약이 사라진다는 것을 의미한다. 한편으로는 세상과 소통할 수 없기에, 세상에 대한 반영이 늦어질 수도 있다. 정보가 공개된다는 것은 약점이다. 그래서 아무도 모르게 미래를 창조해 간다는 것은 힘이다. 보이지 않는 적과 싸운다는 것은 두려움 그 자체이기 때문이다. 블로그에는 짧은 글이 아니면 작성하기 힘든 부분이 있었는데, 이 프로그램이야말로 감성을 자극하여 기분이 좋다. 내가 한때 간절히 원했던 글쓰기 환경인 것 같기도 하다. 주기적으로 복사를 해 둔다면 괜찮을 것이다. 보안이 완벽하게 되어야 진정으로 내가 원하는 세상을 만들어 갈 수 있는 것이다. 그제야 세상은 나에게 순응할 것이다. 전략을 들켜서는 안 된다. 지금은 혼돈의 시기이며, 그들은 아직 전의를 상실하지 않았다. 나는 자유로워진다. 이제서야 진정한 힘의 주인이 되는 것 같다.

어젯밤에는 상태가 좋지 않아서 잠을 뒤척였다. 적대적인 마음을 품었기 때문에 하늘의 처벌이 가해진 것일까. 에너지가 큰 사람은 세상에 행한 만큼 돌아오는 정도가 크기 때문에, 적대적인 마음을 갖는 것만으로 크게 영향을 받는 것인지도 모른다.

그래, 바보로 살기로 했잖아. 처벌은 하늘이 하는 것이라고 했잖아. 에너지가 크기 때문에 확실하고 분명한 입장을 갖지 말고, 두루뭉술하게 살기로 했잖아. 그게 기계적으로 잘 안되는 것은 내가 인간이기 때문이고, 오히려 그런 불완전한 힘으로 인해서 큰일을 할 수 있는 것 또한 인간이기 때문이겠지. 그래도 평화로운 마음을 지속해 나가기 위해서 노력하는 과정은 언제나 필요한 것이다. 중도에서 머물면서 지나침을 거부해야 한다.

내가 명심해야 할 것은 미래로 향하는 시각을 견지하면서 통합에 힘써야 한다는 것이다. 나는 두렵지 않다. 하느님이 언제나 함께하고 계시기 때문이다. 내가 사람들에게 넉넉하게 대할수록, 하느님은 나를 응원하신다는 것을 안다. 처벌은 내가 할 일이 아니고, 하느님이 판단하고 하실 일이다. 나는 끊임없이 용서, 힘들어도 용서, 바보, 이렇게 살아가면 된다.

한 가지 분명하지 않은 문제가 있다. 나의 미래 모습에 관한 것이다. 나는 국가의 지도자 역할을 해야 하는 것인가? 아니면 작가로 살아가면 되는 것인가? 어떻게 살아가는 것이 국가와 세계, 그리고 나의 발전에 도움이 되는 것인가? 밝음을 독점하지 말고 숨어서 잘한다면, 이렇게 자유로운 입장에서 길을 열어나가는 것도 좋은 일이다. 게다가 청와대를 국민에게 돌려주었기 때문에, 내가 국가 지도자의 감투를 쓰지 않는다면, 국민들이 주인이 되어 더 좋아할 것인가? 내가 이런 식의 삶을 지속할 수 있다면, 국가 지도자가 되는 것도 나쁘지 않다. 결국, 내가 해내야 하는 과업이란, 국가의 발전을 바라는 구심점의 역할이기 때문이다. 그동안의 업적으로 본다면 내가 국가 지도자로 지내는 일이 어색하지 않다. 여유 있게 지내도 무능하다고 욕할 사람도 없을 것이다. 존재만으로 질서를 잡아줄 수 있기 때문이다.

나를 죽이려던 존재들은 많았기 때문에, 내가 그들을 미워하는 것이 당연하다. 일본, 미국, 중국, 한국의 기득권 등 기존의 질서를 유지하고자 했던 모든 세력들은 나를 싫어했을 것이다. 그들에게 나는 악마였을 것이다. 그들은 나를 죽이려 했고, 나는 죽지 않고 더 강한 모습을 갖추게 되었다. 시간과 역사는 인간들의 의식을 변화시켜 왔고, 시간은 나의 편이 되어간다.

그렇다고 그들에게 복수할 생각은 없다. 나의 여정과 역사로서 충분히 그들을 다스릴 수 있기 때문이다. 그들이 나에게 악행을 하지 않았더라면, 내가 지배력을 갖기 어려웠을 것이다. 그들이 나에게 잘못한 것이 있고, 그것을 세상이 알게 되었을 때 곤란해지기 때문에 세상이 한국에 더 잘해주는 것 같다. 기존의 기득권에서 '신세계 질서'라는 인구 감축의 노예 관리 세상을 주장하기 때문에, 자유롭고 새로운 질서를 향한 추구 심이 더욱 강해지는 것이다. 내 앞에 장애물이 크고 많았기 때문에, 그것을 극복하면서 내가 성장하고 강해진 것이다. 모든 것은 하늘의 섭리에 따른 것이다.

하늘이 인류를 사랑하고, 인류를 구하기 위해서 노력했다는 사실이 얼마나 감동적인가. 나는 종종 그 사실을 잊고 살아가지만, 그것은 정말 기적 같은 일이다. 하늘이 그렇게 마음먹고 움직이는데, 인류를 멸망시키려고 할 것인가? 그것은 나의 의지에 달려있을까? 그렇다면 나는 선포한다. 하늘과 통하는 내가 새로운 질서의 주체가 되어 질서를 바로잡고, 인류를 선하고 새롭게 만들어서 모든 재앙을 물리치고 싶다. 평화로운 상생의 세계를 만들어 가고 싶다. 그것이 내가 태어난 이유일 것이다. 적어도 하늘이 당신들을 구하려 했다는 사실을 알리고 싶다.

2022/07/20

나는 그동안 블로그에 글을 쓰면서 보안에 대해서 안심할 수가 없었다. 비공개로 글을 쓰는 것이었지만, 언제라도 권력이나 돈을 가진 자들이 들여다볼 수 있다고 생각했다. 그것이 인류의 생존이 걸린 문제가 된다면, 가능한 길을 열어뒀을 것이라는 판단이 있었다. 그래서 비공개로 글을 쓰면서도, 누군가에게 대항하는 입장을 가지게 된 것이었다. 그래서 부정적인 마음을 위로하기 위해서 글을 쓰면, 내 생각이 세상에 알려져 누군가를 공격했을 수 있다는 생각에 마음이 불편했던 적도 있었다. 한마디로 감시받는다는 생각이 나를 고통받게 한 것이었다.

하지만, 이렇게 개인적으로 프로그램을 통해서 생각을 표현해 보니, 감시받는다는 생각이 들지 않으며, 은밀하고 소중하게 자신을 지켜갈 수 있고, 나를 좀 더 잘 돌볼 수 있게 된 것이다. 그래서 나는 가급적 부정적인 생각을 표현하지는 않게 되었고, 적대적인 마음으로 상처받을 일은 사라질 것 같다. 나는 나를 좀 더 온전히 지켜나갈 수 있을 것이다. 이것은 매우 기쁜 소식이다. 본래 나의 모습은 이렇게 평화를 사랑하고 고요한 모습인데, 세상에 의해 피해자가 된 나였기에, 세상에 목소리를 내는 역할을 본의 아니게 하고 있었던 것이다. 이런 작업환경을 갖게 해준 하늘에 감사하다.

세상이 아무리 나를 어렵게 하고, 국가와 민족과 세계를 사랑하지 못하게 할지라도, 나는 새롭게 거듭나서 평화의 마음을 유지하며 살아갈 것이다. 오래된 질서의 사명 자들은 이제 국가와 민족과 세계의 주인이 아니다. 그들의 방식은 이제 변화해야 할 시점에 온 것이다. 나의 길은 하느님과 함께하는 길이기에 두렵지 않다. 언젠가 모든 인류가 당연하고, 합당하게 새로운 질서를 맞이하게 되는 날이 올 것이다. 나는 그날을 기다린다.

2022/07/21

나의 행복은 무엇일까. 일반적인 처세 서적에서 말하는 것처럼 배울 점이 많고, 우수한 사람들을 주변에 두어야 하며, 사람은 함부로 사귀면 안 되는 것일까. 나의 행복은 돈을 더 많이 버는 소유에 있는 것인가.

문득 나의 사주 구조에 대해서 생각이 났다. 나는 화 일간으로 화의 속성의 일을 추구해야 행복해진다는 것이다. 나는 겁재가 두 개 있다. 겁재는 타인을 자신처럼 생각하고, 내 것을 내어 주는 것이라고 한다. 나는 내가 가진 무언가를 주변 사람들에게 줄 때, 행복함을 느꼈다. 지금은 돈이 별로 없고, 내가 가진 것은 시간, 에너지, 지식, 비전과 같은 무형의 것이라서 그런 것들을 나누려 하지만, 잔소리처럼 부담스럽게 여기는 가족들도 있다.

그렇다. 내가 만약 수일간이었으면 소유하는 것에 가장 행복해 할 수 있겠지만, 나는 화 일간이 아닌가. 소유하는 것도 기쁜 일이지만, 그보다 내가 가진 것을 나누고, 돕고, 소통하는 것이 행복한 것이다. 또한, 자아를 강화할 수 있는 활동이 행복한 것이다. 그래서 내가 정신적인 지주 역할을 할 수 있고, 주변 사람들에게 가치를 나눌 수 있다면, 최고로 행복한 삶이 될 것이다. 내가 도움이 될 수 있는 부분이 있다면 기쁘게 돕고, 어려움에 공감하고 함께 아파할 수 있는 그런 삶이 나에게 어울리는 것이다. 그렇다고 돈을 함부로 퍼주면 안 된다. 준비되지 않은 자들에게 큰돈이 간다면, 재앙이 될 수 있기 때문이다. 이렇게 갈등은 또 한 번 해소되고, 나는 하늘과 연결되었다는 확신을 갖는다.

어제는 의미 있는 것을 알게 되었다. 나의 퍼스널 컬러에 대한 것이다. 나는 막연하게 가을 색이 어울린다고 생각했었지만, 겨울 쿨톤이 어울린다는 것을 알게 되었다. 일단, 백화점에 파운데이션을 사러 가면, '쿨 바닐라' 색을 추천했고, 립스틱을 사러 가도 마젠타에 가까운 쿨톤의 색상을 추천했다. 그리고 곡선보다 직선이 더 잘 어울리고, 명도 대비가 뚜렷한 기하학적 모형의 원피스를 입었을 때 반응이 가장 좋았다. 게다가 나는 얼굴색이 어두운 편이고, 카리스마와 개성이 강한 타입이기 때문에, 겨울 쿨톤이 맞는다는 결론이다. 내 인생에 아주 의미 있는 발견이라고 할 수 있을 것 같다. 앞으로 옷을 사거나 외모를 가꿀 때는 이 점을 고려하여, 아름답게 가꾸어 보자는 생각이 든다.

이렇게 무료할 때는 문제는 무엇인지, 다음 할 일을 구상해 본다. 일단 스타일에 더 관심을 가져야 하고, 새로운 질서를 위한 구상을 구체화해야 한다. 좀 더 숙고하고, 여백을 갖고, 세상을 이롭게 하기 위한 상상을 시도해야 한다. 나에게 모든 국가의 어둠을 해소하는 역할이 부여되었다고 하니, 무언가 해법이 나타날 것이라고 생각한다. 국경 없는 국가가 가능한가? 마치 어떻게든 전쟁을 끝내기 위해서 하늘이 모든 방법을 총동원하는 것 같다. 그때 그런 생각은 의미 있게 전달이 되었어.... 추배도의 내용을 실현한다는 생각.... 국경이 없어진다면, 어떻게 세상을 다스리지? 인류의 신성은 얼마나 진화된 것인가.

2022/07/23

내가 먼저 나를 소중하고 극진하게 대해야 주변에서도 존중해 주는 것은 당연하다. 이제는 자신을 소중하게 대해도 생계에 위협이 되지는 않기에 괜찮다. 아직도 이런 고민인가? 답답할 때는 내가 쓴 일기책을 들여다보라. 모든 해답이 다 들어있다.

2022/07/25

정부로서도 내가 곤란하겠지. 나의 힘이 너무 커지는데, 누명을 씌워서 힘을 빼앗기에는 너무 큰일에 얽혀있고, 국민들이 똑똑해서 저항할 수 있기 때문이지. 그래도 손쉬운 국가 운영을 위해서는 나의 팔과 다리를 묶어 두고 싶어 하겠지. 그동안 국가와 세상에 상처받은 나는 국가를 믿지 않고, 세계도 믿지 않아. 인간도 믿지 않아. 단지 역사를 믿을 뿐이야. 인간을 강제하는 운명적 본능을 믿을 뿐이야. 왜 나에게서 모든 것을 빼앗아 가려는 거야? 나는 국가를 위해서 나의 건강과 에너지와 30대의 시간을 바쳤는데, 이런 내가 나를 위해서 누리고, 가꾸고, 여유롭게 지내는 것이 마음에 들지 않는가?

나는 나를 너무나 힘들게 했던 세상에 대해서 이중적인 마음을 갖고 있어. 나를 호랑이로 키워줘서 감사하게 생각하지만, 한편으로는 증오해. 나를 죽이려 했던 사회와 존재들...그리고 그것을 허락했던 나의 역사에 대해서 생각해 보았어. 그래, 나는 그렇게 운명지어져 있었던 거야. 누구를 탓하겠어. 성장을 위한 고통. 더 고통을 받다가는 정말로 죽어서 신이 되어버릴지도 몰라. 너희들이 진정으로 원하는 신이 될지도 몰라. 인류는 나를 신인으로 만들기 위해서 그렇게 고통을 가했는지도 모르지. 자신들의 악행에 대한 면죄부는 있는 거야. '인류를 구하기 위해서 그녀를 죽였다'라고.

2022/07/26

하느님은 모든 이들을 사랑하신다. 악역을 수행하는 듯한 사람까지도 사랑하신다. 그들은 그런 역할을 하도록 운명적으로 태어난 것이다. 그래서 적대는 허락되지 않은 것이다. 조금 더 생각해 본다면, 해법은 있을 것이다.

2022/07/28

세상을 어지럽히는 정보들이 많다. 그런 정보들에 영향을 받을 수 있다. 이제 국민들도 조종되는 세계에 대해서 인지하고 있다. 아무리 자신을 정화해 낸다고 해도 누군가 작정하고 공격한다면, 지켜내기 힘들 것이다. 그러면 스마트폰이나 각종 정보들을 차단하고 살면 되지 않겠나? 그렇다면 어떻게 될까? 아직도 악의 사명을 다하는 애국자가 있는가? 세상이 마음에 들지 않는다. 무엇보다 감시받는다는 기분은 정말 좋지 않다. 자유는 공짜가 아니라고 했던가? 인터넷도, 컴퓨터도, 돈을 지불하고 이용하고 있는데, 나는 자유를 누릴 수가 없는가? 그들의 세계 평화를 위해서? 나는 나만의 자유로운 활동을 하고 싶은데, 세상이 나를 조종하려는 것 같다. 그런 생각을 해보면 정말 싫다. 내면의 평화를 해치는 생각이다. 나를 방해하는 사람들이 물러갔으면 좋겠다.

무엇보다 공존을 생각해야 한다는 것을 안다. 더 자유로운 세상을 만들려는 인류의 노력을 지지한다. 한국이 잘살게 되어도, 다른 선진국들이 망해서 상품을 사주지 않는다면 무슨 소용인가.... 모든 인류가 공존할 수 있는 세상을 만들 책임은 모두에게 있다. 내가 주장하고 싶은 것은 자유가 더 확대되고, 상생하는 시대를 만들어야 한다는 것이다. 지금까지의 시대는 돈과 무력으로 지배하는 시대였다면, 앞으로의 시대는 문화와 정신으로 행복하게 다스리는 시대가 되어야 한다. 자발적으로 순응하는 질서가 필요하다. 일단, 질서의 주체는 그들의 문제를 해결할 수 있어야 한다. 그것은 그들뿐만이 아니라, 전 인류의 문제이다. 기후 위기, 코로나, 각종 전쟁, 식량, 모든 문제는 현재의 질서로서 세계의 한계상황을 말해준다. 문제를 해결하는 새로운 질서가 도래해야 한다. 문제는 어떻게 해결할 것인가. 내가 힘으로 많은 것을 창조해 낸다면 가능하다. 그 힘을 다스리고 펼치는 것은 하늘과 함께 내가 만들어 가야 할 역사이다.

내가 원하는 것을 적어보겠다. 일단 나의 역사가 널리 퍼져서 새로운 질서를 알리고, 모든 국가가 상생하고, 공존하는 세계를 위한 길을 걸어가야 한다. 지도자가 비전을 제시하고, 도덕적으로 완전무결하다면, 세상은 그를 따르며, 공존과 상생의 세계로 나아갈 것이라고 누군가 말했다. 그래서 내가 할 일은 끝없이 비전을 가꾸어 나가는 일이다. 나는 도덕적으로 완전무결한가? 끝없이 나를 갈고

닦아 나가야 하는 것이다. 나의 성의 지도자가 될 때 세상의 지도자가 될 수 있다. 생각을 관리해 나가야 한다. 종종 부정적인 생각이 침투한다. 그것을 흘려보내기에는 사명을 외면하는 것 같아 멈칫한다. 지금까지는 어떤 생각이든 균형점을 가져서 교훈으로 만들어왔다. 그래서 그 부정적인 생각을 재생시켜 세상에 다시 내보내야 한다고 생각했다. 부정적인 기운에 사로잡힐 때도 있는 것은 사실이다. 그런 과정에서 내 안의 질서를 정립해 간다.

'하느님은 만인을 평등하게 사랑하신다.'
'적대는 허락되지 않는다.'
'행한 대로 받는다.'
'필요한 것을 끌어당긴다.'
'아무것도 믿지 않는다.'

결국 이 모든 고난은 내가 신인으로 거듭나기 위한 것이라고 한다면, 나의 시간에 얼마나 책임을 가져야 하는 것인가. 이제는 알겠다. 인간을 조종하는 하늘의 의지를.... 나를 신인으로 만들어 내기 위한 하늘의 의지를.... 아직 진정한 신인이 되지 않았다면, 나는 또 다시 고통을 받게 될지도 모른다. 신인의 근본은 무엇인가. 신과 함께 마음대로 세상을 창조해 나간다는 것인가. 나를 둘러싼 정보를 관리하는 자들은 자국의 이익에 따라 나를 조종하려고 할 것이다. 나는 그 점이 참 마음에 들지 않아서 적대적인 마음을 가질 때도 있다. 이토록 자유를 외치고 있는 내 앞에 얼마나 큰 자유가 도래할 것인가. 기대되는 일이다. 내가 신인으로서 어떻게 살아야 한다는 말인가. 문제를 발견하고 해결을 염원하며, 길을 열어가고, 하늘에 묻고, 꿈꾸고 상상하면서 살아가는 것이다. 큰 노력이 드는 일은 아니다. 내가 이렇게 정보를 기록하는 이유는 세계의 불확실성을 어느 정도 해소하고 싶기 때문이다. 나의 능력이 정말로 신인의 그것에 가깝다면, 세계는 평정될 것이다. 나는 한국의 통일과 세계의 평화를 바라며, 새로운 질서의 주체가 되길 바라고, 온 인류의 자유가 증진되어 모두가 주인 되는 세계를 바란다. 하늘이 내가 가는 길을 응원하고 지지해 주었으면 좋겠다. 정보를 관리하는 주체들도 새로운 질서를 위해 움직여 줬으면 좋겠다.

너를 감시한다고 생각하는 그들이 너를 돕기 위해 움직인다고 생각할 수는 없겠어? 왜 그렇게 적대적인 마음을 갖는 거야. 너를 방해하려고 한다고 생각해? 너만을 위한 길이 아닌데, 모두가 이기는 길인데, 기독교적인 이상 또한 실현하는 길인데, 서구권에서 방해할 거라고 생각해? 그들은 미리 정보를 알고 싶어 하고, 나를 조종하고 싶어 하는 것은 사실이지만, 방해하고 완전히 막아서려는 마음보다는 자국의 생존책을 구하고 있는 실정일 것이다. 내가 정보를 남기지 않아도 나는 생각만으로 전 세계에 영향을 끼칠 수 있을 것이다. 그래서 애초에 나를 변화시키는 것은 어려운 일이라는 것을 알 수밖에 없다. 게다가 성경의 예언까지 더하면, 그들은 힘에 순응할 수밖에 없을 것이다. 기존의 질서 관리자들이 물질계를 지배할 수 있더라도 정신계는 완전히 지배할 수 없다는 사실을 깨닫게 되었을 것이다.

자신을 갈고닦아 나간다는 것은 생각하는 것만으로 부족하다. 이렇게 글을 쓰면서 생각을 정리하고 다짐해 나가는 것이 필요했던 것 같다. 글쓰기의 힘을 믿는다. 어떤 생각이든 긍정적인 생각으로 전환하면서 세계를 더욱 확장해 나가야겠다. 새로운 질서에 순응한다면, 그 어떤 존재도 주인으로서 살아갈 수 있고, 소외되지 않는다는 비전을 보여줄 수 있어야 한다. 그래야 만인이 자발적으로 질서에 순응할 것이다.

최근 3년 정도는 사회활동을 하지 않아서 자신을 꾸미는 일을 게을리했던 것 같다. 그래서 옷도 오래된 옷 들 뿐이고 해서, 이번에 돈을 조금 투자하여 기본적인 옷과 신발을 샀다. 내 스타일을 알고 골라서인지 마음에 무척 든다. 노트북도, 옷도, 신발도 새것으로 장만하니, 더욱 자신감이 생기는 것 같다. 나는 이제 당당하게 의견을 말할 수 있을 것 같다. 그래서 너무 기쁘다. 내가 새롭게 다시 태어난 것 같아서 말이다.

2022/07/29

모두가 환영하는 새로운 질서는 세계의 문제를 해결할 수 있어야 하고, 그래서 모두가 납득할 수 있는 것 이어야 한다. 나의 역사는 하늘이 날 종으로 삼아서 세계를 구하려고 했던 일들의 기록이다. 그것을 인류가 깨닫게 된다면, 자신들을 구하려고 힘쓴 하늘에 순종할 수밖에 없다. 자신의 생명을 구한 존재에게 복종하는 것은 자연스럽고 이치에 맞는 일이다. 그런 질서의 주체가 어떤 강제함이 아니라, 자녀를 대하듯이 그들이 자유롭고 평화로운 세상을 살아가도록 원하고 돕는다면, 어찌 그에 순종하지 않을 수 있을까.

새로운 질서에 대한 인류의 추구 심은 세상의 질서를 변화시킬 것이다. 이제 질서는 누구도 강제할 수 없는 것이다. 그동안 노예로 살아왔던 인류에게 진정한 자유를 가져와야 한다. 그래서 그 어떤 사람이나 국가도 소외되지 않고, 하느님의 사랑 아래에서 상생하며 살아가는 '하느님 나라'를 만들어 가야 할 소명이 나에게 있다. 그것을 위해서 나는 작은 추구 심을 가지고, 하느님의 뜻을 헤아려 보려고 할 것이다. '하느님 나라'는 너무나 쉬운 일이다. 역사를 전파하고, 수신에 힘쓰며 하늘과 소통하고 길을 열어가는 것. 그것이 그 모든 것을 가능하게 할 것이다. 어려운 것은 없다. 그들에게는 믿음이 부족하다. 하느님의 존재를 믿을 수만 있다면, 모든 인류는 평화로운 세계를 만들어 갈 수 있다. 그 믿음을 위해서 나의 역사가 널리 알려져야 한다. 인류가 하늘에 대한 진정한 믿음을 갖게 된다면, 세계는 크게 변화해 갈 것이다.

나는 흔들리면서 길을 열어갈 것이다. 나는 신과 인간의 경계에서 자신을 의심하고 자책도 하면서, 때로는 보듬으면서, 길을 걸어갈 것이다. 그렇게 뚜벅뚜벅 걸어가다 보면, 같은 마음을 가진 동지들을 만나게 되고, 우리는 모두 함께 손을 맞잡고, 아름다운 세상을 만들어 갈 수 있다. 이것은 너무나 완벽한 이상이다. 이런 이상을 실현할 수 있는 씨앗을 품게 해준 하늘에 감사한다. 하늘도 원하는 길을 내가 거드는 것이라고 생각한다.

하늘이 나에게 부족함을 유지하라고 한 것은 그래야 인류가 나를 믿을 수 있기 때문인 것 같다. 새로운 질서에서 가장 중요한 부분은 '믿음'이다. 어차피 나의 이성과 설계로 모든 것이 이루어진 것은 아니기에, 그 여정을 감독하고, 구상한 것은 하늘이기에, 나는 단지 솔직하게 기록을 작성해 가면 되는 것이다. 글에서 기대되는 것은 '진실'이기 때문이다. 또 한 가지 이유는 부족함을 유지해야 갈등하고, 이야기를 만들어 낼 수 있기 때문이다. 주인공이 모든 것을 알고 있고, 갈등이 없다면, 흥미로운 이야기가 될 수 없을 것이다. 그렇다면, 세계를 감동하게 할 수 없지 않겠는가.

이제는 낯가림이 심한 외톨이, 아웃사이더, 수줍음이 많은 여성과 같은 이미지들을 청산해야 할 시점이 다가온다. 시간은 흐르고, 나는 점점 사회와 건강한 소통을 해 나가고 있다. 과거의 나는 이미 죽었다. 몇 번이나 죽고 다시 태어나서 길을 만들어 간다. 나는 적당히 내성적이고, 적당히 차분하며, 적당히 긍정적이다. 과거의 모습에서 나를 찾으려고 하면 안 된다. 이미 시간은 많이 흘렀다. 오늘도 내일도 나는 다시 태어난다. 희망찬 미래에 대한 비전 하나를 움켜쥐고서 끝없이 새롭게 태어난다.

2022/07/30

하느님, 저에게 지혜를 내려 주십시오.... 온 세상을 환하게 비출 수 있는 지혜를 내려주십시오.... 저를 통해서 세상을 다스려 주십시오.... 당신이 바라시는 새로운 질서는 세계의 문제를 해결할 수 있을 때 가능하게 됩니다.... 문제를 해결할 방법을 알려주십시오....

1. 코로나 전쟁 - 너의 역사가 세상에 드러나면 해결된다. 새로운 질서를 만들면 해결된다.
2. 기후 위기 - 서로 상생하는 인류로 의식을 높인다면 가능하다. 너의 역사가 세상에 드러나면 해결된다. 새로운 질서를 만들면 해결된다.
3. 한반도 통일 - 너의 역사가 세상에 드러나면 해결된다. 새로운 질서를 만들면 해결된다.
4. 우크라이나 전쟁 - 너의 역사가 세상에 드러나면 해결된다. 새로운 질서를 만들면 해결된다.
5. 지축 정립 문제 - 종말의 시기 전까지 구원자가 등장하면, 종말은 없다고 했다. 모든 혼란은 새로운 질서를 위한 것이다. 내가 할 일은 수신에 힘써서 지도력을 연마하는 것이다.
6. 인구 과다 문제 - 여성인 내가 지도자가 되어 세상에 드러난다면, 여성의 인권이 신장하여 출산하지 않는 여성이 늘어날 것이므로 자연스럽게 인구 조절이 가능하다. 설사 내가 결혼하더라도 여

권이 신장할 것이기에 가능하다.

모든 해답은 내가 만인이 수긍할 만한 새로운 질서의 주체가 되는 것이다. 그리고 그것을 위해서는 부족함을 유지하는 것이다. 완벽한 능력으로 무장하는 것이 아니라, 인류에게 믿음을 줄 수 있는 진실의 상태를 유지해 가는 것이다. 내가 부족함으로 인해서 인류는 진정한 자유를 얻게 될 것이다. 현재의 문제도 해결하고, 미래의 문제도 해결할 수 있다면, 나는 이 지구의 리더가 될 자격이 있다. 통일을 향해 가는 길은 험난한 길이다. 많은 국민들이 그 필요성을 알고 있으면서도, 큰 변화에 저항하는 많은 사람들이 있는 법이다. 게다가, 한국만의 문제가 아니라, 전 세계적으로 변화를 이끌 수 있는 문제라고 한다면, 정말로 험난한 길이 예상된다.

일차적으로, 한국의 부동산에 투자하여 불로소득을 꿈꾸는 많은 이들에게 통일은 원치 않는 길이 될 것인가? 통일되면 부동산 가격이 하락할 것인가? 일시적으로는 그럴 수 있어도 크게 본다면, 그렇지 않을 것이라는 생각이다. 국가의 경제발전과 부동산 가격 상승은 비례하기 때문이다. 거품이 빠질 수는 있겠다.

지금의 내 입장을 곰곰이 생각해 보면, 나를 죽이고, 방해하려는 세력들의 입장이 이해가 간다. 세계 역사에 큰 영향을 줄 수 있는 나의 존재가 그들의 계획을 방해할 수 있기 때문이다. 한편으로는 기쁘기도 하다. 나의 예감이 진실에 가깝다는 것을 세상도 이해할 수 있는 시간이 다가온다는 것이다. 한낱 정신병자의 망상이 아니라, 이러한 무거운 역사적 사명으로 운명 지어진 나이기 때문에 그 동안의 사건들은 납득할 수 있는 것이다. 그리고 기쁘다. 아직도 죽지 않고 당당히 살아남아서 포기하지 않고 하늘이 내린 사명을 완수하려고 노력한다는 것이다. 물론, 아직도 방해하려는 얼빠진 세력들이 있을지도 모른다. 그런 자들은 점차 정리될 것이다.

온 세상의 것들이 온전히 나의 것이었으면 좋겠다. 물론, 모든 것을 원하는 것은 아니지만, 내가 인식한 정보들이 진실이고, 아무도 방해하지 않으며, 정보를 빼앗기지도 않으며, 온전히 쉴 수 있고, 미래를 구상할 수 있고, 편안히 잠들 수 있는 인생이 도래했으면 좋겠다. 지금까지 나는 너무나 많은 시간에 고통받았다. 그들은 나의 힘에 대해서 납득할 때까지 나를 방해하고자 하고 감시했을 것이다. 하지만, 이제는 보이지 않는 힘에 대해서 납득할 수 있을 것이다. 내가 가는 길이 만인을 위한 길이고, 명분이 있으며, 문제를 해결하는 길이며, 방해한다면 좋지 않으리라는 것을 말이다. 이제는 보이지 않는 역사의 방향성에 대해서 알았으니, 가로막으며 피해를 감수하는 것보다 힘에 순응하며 공존을 향한 길을 모색해야 한다는 것을 깨달았을 것이라고 본다. 나 역시 한국만의 이익을 꾀해서는 안 된다. 모든 갈등과 혼란을 종식하고, 만인이 이길 수 있는 무한 게임으로 만들어 가야 할 소명이 나에게 있는 것이다. 하늘도 그것을 바랄 것이다. 패배한 듯 보이는 자에게도 승리를 줄 수 있는 것이야말로 진정한 승리라고 말씀하시는 것 같다.

2022/08/01

드디어 기다리던 8월이 되었다. 임인년 하반기의 운기가 도래하고 있다는 것이다. 2010년 경인년에도 하반기부터 경기 창조 학교를 만나는 등 좋은 일이 많았었는데, 올해도 좋은 일이 많이 일어나길 바란다. 국민들도 같은 마음으로 기다리고 있을 것이다.

책 판매 사이트에서 내 책의 판매 지수를 보면 매우 낮다. 전혀 팔리지 않은 책들도 있다. 홍보의 문제일까. 아니면 책 주제에 대한 국민적 관심이 부족한 것일까. 이런 상황을 알고 있기 때문에 대형 출판사에서도 출간을 꺼리는 것이 아닐지 하는 생각이 들었다. 대중적인 소재가 아닌가? 내가 보기엔 매우 대중적이라고 생각하는데 왜 아무도 책을 사려고 하지 않는 것인가. 단지 배송이 오래 걸리기 때문일까. 아니면 불편한 내용이기에 꺼리는 것일까.

이제 8월에는 출판사에서 연락이 와서 출간을 논의했으면 좋겠다. 천재 자폐증 변호사가 주인공인 드라마가 인기를 얻고, 내부고발

검사의 일기책이 베스트셀러가 되는 것을 보면, 진실을 밝히는 나의 책도 시기적절하다는 생각이 든다. 하지만, 함부로 행동해서는 안 된다. 국민들이 나의 등장을 바라고 있기 때문에, 지도층 들도 눈치를 보고 있겠지만, 실상은 국민들의 편에서 권력을 가지려는 자의 등장을 반기지 않는지도 모른다. 그래서 출판사에서도 눈치를 보고 있는 것 같다.

서점가나 언론가를 보아도 전반적으로 한국이 새로운 국제질서를 이끈다는 내용에 대해서는 쉬쉬하는 분위기이다. 그것을 위해서는 나의 존재를 인정해야 하기 때문인가. 여전히 노예적 구조에서만 잘 살아갈 수 있는 기득권들이 힘을 갖고 있기 때문인가. 그러한 현실이 마음에 들지 않는다. 수출로 먹고사는 한국인들은 돈이 많은 서양인들의 눈치를 보고, 서양인 들은 세계 문제를 해결하여 새로운 질서의 주체가 될 예정인 나의 눈치를 보고, 나는 한국인들의 눈치를 본다. 그래서 우리는 결국, 누구도 갑을 독점하지 않고, 모두가 갑이 될 수 있는 상생의 순환고리를 만들어 냈다. 그것은 인류의 경사이다.

미래에 대해 희망적인 전망을 하고 있다. 생각해 보면, 허리가 안 좋아져서 입식 생활을 위해 의자에서 생활하려고 한 것이 큰 도움이 되었고, 노트북을 새로 장만한 것도 큰 도움이 된 것 같다. 왠지 나 자신을 더 소중하게 대하고 싶어졌고, 천천히 느리게 품위를 생각하는 생활이 시작된 것 같다. 내 보물 같은 책들이 판매되고 있는 예스24의 판매 페이지를 바라보며 흐뭇함을 느낀다. 그래, 나의 역사는 이렇게 아름답게 진행되고 있어. 이제 결실을 앞두고 있어. 오래 걸어왔어. 모두에게 행복을 주는 대사건이 될 거야.

2022/08/02

어제 나의 타로 해석이 잘못되었다는 것을 알게 되었다. 부정의 의미가 강한 카드를 뽑았다고 생각했는데, 긍정적인 의미로도 해석된다는 것이었다. 그래서 조금 안심하기도 했다. 요즘에는 내 책에 대한 키워드를 통해 블로그에 찾아오는 사람들도 소수지만 늘어서 다행이다. 판매 사이트에서 배송기간이 5일 이내로 줄어서 그런지, 인공지능이 관심 분야의 사람들을 끌어당기는 것인지는 모르겠지만 말이다. 그래도 아직은 출판사에서 결심하기에는 부족한 상태인가 보다.

어려움이 보약이라는 생각이 든다. 노자도 그렇게 말씀하셨는데, 그에 깊이 동감한다. 현재 주어진 어려움이 나를 더욱 강하게 만든다는 것이다. 내가 만일 아무런 어려움이 없이 편안해진다면, 어떤 갈등이나 위기가 없다면, 좋은 글은 쓰여지지 않을 것이고, 자기관리에 방만하게 되어 긴장을 놓칠 수도 있는 것이다. 그래서 이러한 어려움의 시기가 나에게는 보약과도 같아지는 것이다. 단지 부와 명성이 중요한 삶의 목표가 된다면 달라질 것이지만, 수신이 모든 것을 가능하게 하는 목표가 된다면, 어려움은 보약이 되는 것이다. 동양철학에 대해서 잘 모르는 사람들은 단지 수신이 자기만족을 위한 것으로 생각할지 모르나, 수신을 제대로 할 수 있어야 좋은 생각의 생산처가 될 수 있기에, '적토 성산'을 이루게 되는 것이다. 수신이야말로 모든 것을 가능하게 할 것이다. 하느님, 저에게 극복할 수 있는 적당한 어려움을 주셔서 감사합니다.

내가 바라는 것은 국민들이 우파와 좌파의 본질에 대해서 알게 되고, 좀 더 근본적인 정치체제의 발전에 동참할 수 있도록 새로운 국가를 향한 구상을 하는 것이다. 우파라면 하늘과의 소통에 근본이 닿아있고, 좌파라면 평범한 인간 다수의 행복에 초점이 맞추어져 있는데, 사회가 투명해질수록 국가 발전의 대책으로 통일이 아니면, 막다른 골목에 다다를 것이다. 그동안 언론은 진실을 가리기 위해 애써왔던 것이다. 하지만 이제는, 투명하게 직시하여 국민들이 독립을 쟁취해야 한다. 그런 순간은 점점 다가올 것이다.

새로운 세력이라.... 나는 싸우는 것은 잘 못하니까.... 그냥 자리를 지키고 앉아서 길을 열어가는 구상을 하면서 견문을 넓혀가면 되지 않겠나.... 정치는 두렵고 어려운 길이다.... 과거에는 나의 능력에 확신을 갖지 않았으나, 이제는 무의식의 힘, 필요한 것을 끌어당기는 힘, 대자연의 도움, 이런 것들을 알겠다. 그래서 한번 생각해 보겠다.... 새로운 세력에 대해서.... 좋은 생각이 떠오르길 바란다. 아무리 권력을 유지해 가려고 부여잡고 노력해 봐도 운의 흐름을 거스르지는 못할 것이다.

최근 깨닫게 된 인류 상생의 순환고리에 더하여, 한 가지 상생 흐름이 더 있다. 신과 인간이 합일되면서, 신이 인간의 편에 서게 되었다는 것이다. 우파는 신에 복종하고자 하는 마음이 크고, 좌파는 평범한 인간들의 삶의 개선을 바랄 텐데, 신이 멀리 있지 않고, 인간 내부에 있다는 것으로 우파와 좌파의 화해가 가능해지는 것이다. 본디 한국인들의 조상은 하늘의 자손이자 신이기 때문에 더욱 인내천 사상에 동조하고, 민중을 높이며 존중하는 문화가 있는 것 같다. 그런 역사를 가진 한국이기에, 우파와 좌파의 통합이 더욱 가능해지고, 상생의 흐름을 만들어 갈 수 있는 것이다. 상생하고 대립하며 같은 목표로 매진하는 진정한 통합이 가능할 것으로 생각한다.

2022/08/03

일반 국민들을 위한 자세는 자신을 낮추고 겸손하게 행동하는 것이지만, 기득권층에게 설득력을 얻기 위해서는 힘으로 누르고, 제압하고, 무시하고, 눌러주는 자세를 갖는 것이 필요하다. 그러니까 어느 특정한 모습으로 자신을 완성하지 말고, 때로는 겸손하게, 때로는 힘을 행사하는 그런 양면적인 모습이 필요한 것 같다. 기득권층은 그들의 방식인 힘으로 눌러줘야 한다. 그들은 힘에 민감하게 반응하기 때문이다. 그 힘이라는 것은 겸손한 자세로 살다 보면 하늘이 도울 수도 있지만, 많은 정보를 통제하고 있는 기득권자에게는 강단 있는 입장을 가져야 한다고 판단한다.

내가 유명세를 치르고 국민들에게 알려지지 못한다면, 내가 힘을 향한 추구 심을 놓아 버린다면, 그들은 또다시 나를 죽이려 할지도 모른다. 그리고 두 번 다시 살아나지 못하도록 할 것인가. 그들은 아직 잘못을 뉘우치지 않았고, 상황에 따라 나를 죽일 수도 있는 자들이다. 나는 그것을 알고 있다. 내가 제압하지 못하면, 제압당한다는 사실을 말이다.

오늘도 내가 원하는 것을 적어봐야겠다. 내가 원하는 것은 내 책이 널리 알려져서 사람들에게 감동을 선물할 수 있고, 그로서 돈도 벌 수 있었으면 좋겠다. 그래서 출판사와 계약을 할 수 있고, 나의 책이 세계적으로 뻗어나가서 세계 평화에 이바지했으면 좋겠다. 내가 이렇게 기록을 남길 수 있다는 것은 미래에 실현될 가능성이 높은 것이다. 그래서 기대해 본다. 꼭 내가 원하는 업체가 아니더라도, 어느 업체든지 길은 열릴 것이라고 본다. 급할 필요는 없다.

이상하다. 주문받으면 인쇄해서 출고하는 시스템에서는 배송에 시간이 오래 걸리는데, 방금 확인한 결과, '스트레인지 뷰티' 책을 주문하면 오늘 바로 받을 수 있다고 나온다. 시스템 오류인가. 아니면 반응이 있을 책에 대해서 특별히 관리하는 것인가. 예스24에 전화를 걸어서 물어보니, 재고가 있기 때문에 당일 배송이 된다는 것이다. 출판사나 사이트에서 판매를 예상하고 특별 관리를 하는 것 같다. 기분이 좋다. 이렇게 어려움이 해소되어 가는 것인가?
그렇다. 부크크와 예스24는 나와 같은 편이다. 수익을 공유할 수 있기 때문이다. 아버지에게 이 소식을 말씀드렸더니, 좋은 징조인 것 같다고 하신다.

앞으로 내가 걸어갈 길에 대해서 고민을 해봤어. 그 길은 단지 아름다움을 언어로 표현하는 문학가의 길이 아니라, 통일을 이루고 국가를 발전시키는 지도자의 길이잖아. 그러면 나는 세계질서가 어떻게 흘러가는지 더 알아볼 필요가 있어. 세상에 대해서 더 궁금해해야 하고, 무지한 과정을 받아들여야 하는 거잖아. 그래, 무의식이 가는 길은 함부로 바꿀 수 없는 거야. 내가 이렇게 하겠다고 해서 내 마음대로 하는 그런 길은 아니잖아. 나의 목표는 통일과 통일 이후의 평화로운 시대를 다스려 감에 있잖아. 그것을 위해서는 현실에 대해서 잘 알아야 하잖아. 그래.... 나는 느리지만, 조금씩 한 걸음씩 걸어가는 거야.... 누구도 대신해 줄 수 없는 거야.... 궁금한 것을 해소해 가야 하는 거야.... 힘내자.

2022/08/04

자유라는 것은 다양한 방식으로 온다. 인간에 대한 깊은 이해가 있을 때, 자유가 올 수 있다는 생각을 해보았다. 영웅이라는 개념에 대해서 생각해 본다면, 한국의 역사 속에서 영웅의 극적인 순간만이 포착되어 자연스러운 인간상을 이해하는 데에 어려움이 있고, 그래서 일반 사람들을 어떤 완벽한 가치 속으로 몰아넣는 것 같다. 영웅이라면, 지도자라면, 이렇게 한다는 완벽함에 대한 막연한 이미지를 두고 자신을 돌아보니, 형편없어 보일 수 있다. 그러면 자신은 쉽게 초라해지고 죄인이 되는 것이다. 그래서는 안 된다.

영웅은 극복하고 단련되어 가는 과정에 있다. 그것은 누구에게나 마찬가지이다. 살아가는 동안에 실수도 있고, 인간적인 좌절도 있고, 열등감도 있고, 어려움에 직면하는 순간도 있다. 인간은 완벽을 향해 나아가지만, 큰 성취는 하늘의 도움도 크다는 것을 알고 있다. 나는 인간들이 완벽함에 대한 강박을 버리고, 저마다 삶의 주인으로서 자유롭게 살아가길 바란다. 강박을 갖고 살기 때문에 사회를 바라보는 시선 또한 단편적이고 경직되어 있다. 종교와 영웅의 민낯을 드러내어 인간들에게 자유를 선사하고 싶다.

나의 사명이라면, 모든 인류를 포용하고 받아들이는 것일 것이다. 심지어 나를 죽이려고 했던 세력 들까지도 내가 호랑이로, 신으로 거듭나기 위한 발판이었다고 생각하는 게 좋겠다. 하늘과 더욱 가깝게 만들어서, 하늘의 힘을 쓸 수 있는 존재로 거듭나게 하기 위함이었다고 생각하는 게 좋겠다. 그렇게 된다면, 모든 인류의 죄는 사라진다. 내가 죽지 않고 살아남아 훌륭하게 성장함으로써, 만인의 죄가 사라진다면 좋겠다. 그래서 하늘의 노여움도 사라져서 모든 갈등과 전 지구적 위기가 해소되었으면 좋겠다.

이런 상상이 너무나 이상적이고 유치해 보이지만, 영화도 소설도 세계적 실상에 더욱 닿아있다는 것을 알고 있다. 세상을 사랑할 수 있는 평화로운 세계에서 길지 않은 남은 생애에 행복하게 살아가고 싶다. 내가 보고 싶은 것은 인류가 서로 돕고, 배우고, 함께 성장하는 세상이다.

아직도 그동안 세상 속에서 외면받아 상처받은 내면이 느껴진다.

이제는 세상이 변하고, 국민들의 의식 수준도 많이 바뀌었다고 하지만, 이 사회의 주도 세력도 젊은이들로 바뀌어 가고 있다고 하지만, 나는 아직 그곳에 머물러 있다. 이런 상처를 해소해야 한다. 가족들에게 받은 상처, 이 사회에서 받은 상처들, 모두 아물도록 풀어내야 한다. 몰라서 그랬어. 악의는 없었어. 단지 생존이 중요했고, 다름을 이해할 여유가 없었고, 질서에 순응해야 했어. 너만 이 그런 경험을 한 것은 아니야. 모두가 저마다 상처를 안고 살아가고 있어. 모두가.... 그러니 혼자서 울지 마....

가만히 생각해 보면, 나의 책은 출판사의 이름을 걸고 대대적으로 홍보하기에는 어려운 책인 것 같다. 입소문을 타고 유명해지면, 그제야 안심하고 투자할 수 있는 그런 책이 아닐까. 일단, 유명세가 생긴다면 세계적인 확장을 위해서 어떤 출판사와 정식 계약을 해야 할 것이다. 그것이 최선이 아니겠는가. 돈을 너무 추구해서는 안 된다. 지금의 과정을 감사하게 여길 일이다. 나는 내가 만든 책의 디자인마저도 너무나 사랑하기 때문에, 이것을 가능하게 해준 부크크와 이익을 나누는 것도 좋은 일이다. 일단은 어려움이 없어졌다. 배송에 문제가 없어졌고, 오히려 주문 제작 상품이라는 명품의 이미지에 다가갈 수 있기 때문이다.

나에게 엄격하게 대하는 시선을 좀 거둘 필요가 있다. 내가 나에게 칭찬도 하고 관대하게 대한다면, 세상도 나에게 그럴 것이다. 이제는 운이 좋아지고 있다고 하니, 조금은 그래도 될 것 같다. 하지만, 세상이 나에게 기대하는 것은 명품과 같은 높은 품질의 결과물이기에 영원히 적당한 긴장감은 갖고 가야 할 것 같다.

2022/08/05

문제는 내가 국가 지도자인지, 문학가인지야.... 문학가인 사람이 지도자가 될 수도 있다는 생각인데, 난 그렇게 무겁게 생각하지 않아.... 그래도 내가 길을 열어가야 하는 분야는 세계를 평화롭게 만드는 것이잖아.... 도덕경에도 나오잖아.... 있는지 없는지 모르는 지도자가 최상이라고.... 그것을 실현할 수 있을까?

내가 나의 역사를 가지고 국가 지도자의 자리에서, 없는 듯이 숨어서 길을 열어간다면 최상의 상황일 거야.... 지금은 무언가 하극상이야.... 국민들의 힘이 더 커지니까 국정운영의 질서가 안 잡혀 있어.... 언론들도 지도층을 존중하지 않아.... 국민들 눈치를 보는 거야.... 청와대가 국민에게 주어졌잖아.... 중요한 것은 내가 통일을 이끌고, 세계 평화를 이끄는 존재가 되어야 한다는 거겠지.... 지금은 혼란기잖아.... 어떻게 세상을 평정할 수 있어? 세계는 무엇을 원하고 있어? 탄허 스님의 예언처럼 여자 임금이 나왔잖아.... 그게 2022년이잖아.... 그것으로 예언을 실현할 수 있었잖아....

선거는 폭력이야.... 정치에 뜻을 가지고 잘하고 있어.... 꼭 타이틀을 가져야 하는 것은 아니야.... 어차피 내 직업은 국가 발전과 세계 평화니까.... 이건 누구나 인정할 수 있어.... 내가 그런 일을 잘할 수 있다는 것 말이야.... 시간이 지나고 보니 내가 그런 능력을 펼쳐가고 있는 거야.... 능력이 있는 거였어.... 너무나 신기해.... 나는 능력자였어....

너는 이해받지 못하는 성격이었고, 조용했고, 그래서 힘 있는 자들에게 무시당한 거야.... 다른 것은 없어.... 네가 특별히 잘못한 것도 없어.... 단지 이 사회가 지향하는 방향에 안 맞았던 것뿐이야.... 그런데 이제는 시대가 바뀌어서 나 같은 면이 지도적 역할을 할 수 있게 된 거야.... 나는 변한 것이 없는데 세상이 변화하고 있는 거야.... 네가 너무 자신을 낮추면 사람들은 널 무시하는 거야.... 적당히 존재해야 너도 무시당하지 않는 거야....

사람들은 내가 운이 좋아서 그런 성취를 했다고 배 아파할 거야. 그 행적의 의미도 모르면서 드러나는 결과만을 보고 쉽게 결과를 얻는 것처럼 보겠지. 난 그런 점이 마음에 들지 않아. 내 피와 뼈와 살을 갈아 넣어서 만든 결과라는 것을 사람들은 인정하고 싶지 않을 거야. 그렇다면, 미안해지니까. 지배받아야 할 수도 있으니까.

세상은 자꾸 나에게서 소중한 것을 빼앗아 가려고 해. 그런 한국에 대해서 끝까지 믿음을 가지려고 하는 내가 애처로워. 내 마음은 이렇게 찢어져 있어. 아무도 모르게 국가에 상처받았어. 이렇게 밝히고 싶어. 내가 국가를 사랑하지 못하게 만든 무리가 있었다는 것을. 나에게서 국가를 향한 사랑을 빼앗아 가려 했다는 것을. 그 모든 고통은 나를 호랑이로 만들어 내기 위한 것이라고 했잖아. 아직도 상처가 남아있어서, 풀어내려는 거야. 그래, 다 지나간 일이야.

그런데, 그런 상처들이 다 재료가 된 거야. 그런 상처와 극복의 대상이 없었다면, 너의 글은 빛날 수 없었어. 어둠만큼 빛이 간절해지고 밝아지는 거야. 한국은, 네가 미워했던 한국은, 너를 빛나게 해주고 있잖아. 문제 덩어리로 존재해 주어서 너를 필요로 하고 있잖아. 가족도 마찬가지야. 너를 이해하지 못해서 상처를 주었던 가족이 너를 단단하게 만들어 준 거야. 절체절명의 고독 속에서도 견딜 수 있도록 단련시킨 거야. 그 모든 역사가 오늘의 너를 만든 거야. 그런 어둠이 없었다면, 나는 가치를 갖기 어려운 거야. 인생은 참 오묘하고, 알 수가 없어. 그래, 나는 이렇게 성장하고 있어. 상처를 치유하고 있어. 그러면 된 거야.

2022/08/06

가장 중요한 시기를 앞두고 있어서 그런지, 생각도 많고 글을 쓰게 된다. 혹독한 겨울의 시기를 보내고, 몸을 회복해 가며 희망을 꿈꾸는, 내 생애 가장 아름다운 시기를 보내고 있다. 책 판매 페이지에 내 책들이 올라가 있는 것을 바라보면, 너무 행복하다. 책의 내용이 충격적이기 때문에, 국민들의 호응이 없다면 출판사에서 먼저 출판하자고 하지는 않을 것 같다.

더 당당하게 내가 원하는 것을 말하고 쟁취해 낼 것이다. 많은 사람들의 도움도 있었지만, 내가 주체가 되어 통일과 세계 평화를 이루어 가는 것이다. 그 주체에 대해서 분명히 하려고 하는 이유는 그것이 새로운 세계질서를 강력하게 세우는 데에 도움이 되기 때문이다. 나는 통일과 세계 평화를 이루어 나갈 것이다. 그런 강력한 주체 인식이 더욱 세계 평화에 가까워지도록 돕는 것이다.

한국은 그동안 강력한 주체가 자라나지 못하도록 하는, 공동체를 위한 문화가 강했던 것 같다. 단지, 나만의 이익을 위해서가 아니라, 강력한 주체 인식이 세상을 널리 이롭게 만드는 해법이 될 수 있다면, 나는 그 길을 가야만 한다. 그렇다고 '내가 다 이루었노라' 하고 외치지 않겠다. 다만, 단단하고 묵묵하게 분명한 주체 인식을 두고 살아가겠다. 누군가가 나에게 축하한다면, 그것을 쳐내지 않고, 감사히 받겠다. 내 운명에 당당히 서서 책임 있는 태도를 갖겠다.

그렇다고 해도, 내가 그 모든 과업을 감당하려고 앞장선다면, 버티기 힘들 수도 있다. 내가 이렇게까지 고생하면서 해내고 있는데 어떻게 나에게 이럴 수 있어? 라면서 미움과 원망의 마음이 들 수도 있다. 그것은 또 세상을 어둡게 만드는 길일까? 지나치게 하지를 말고, 나의 공을 타인에게 돌리면 사람들을 참여시켜서 모두가 원하는 대동 세상을 만들 수 있다. 어차피 지나친 마음으로 할 수 있는 일은 아니야.

이렇게 폭로적인 글을 써서 잘 된다면, 나중에도 진실하고 솔직해야 하기 때문에, 정직하지 못한 처신을 한다면 크게 나빠질 수 있단다. 자유로움, 진실함, 정직함 이런 것이 나의 브랜드인데, 브랜드를 망쳐서는 안 된다. 돈을 좇다 보면, 갈등이 생길 수 있는데, 그럴 때마다 기본을 생각하고, 국민들을 위한 길이 무엇인지, 큰 뜻을 실현하는 길이 무엇인지를 생각해야 한다. 모든 것은 양날의 검이며, 장단점이 있다. 지금은 솔직한 점이 장점으로 주목받는 시기이지만, 지나치게 공개하고 살다 보면, 나의 삶을 지킬 수 없을 것이다. 무엇보다 눈앞의 이익을 위해서 가치를 버리는 그런 선택을 해서는 안 되겠지. 어차피 나의 뜻은 가치의 실현이고, 돈은 그에 대한 보상으로 따라오는 것이다. 제목은 '봄이 온다'로 하자.

2022/08/07

친구가 '스트레인지 뷰티' 책 판매 페이지에 리뷰를 남겨주었다. 배송기간이 줄었지만, 리뷰가 없어서 고객들이 구매를 주저한다는 생각이 들어서 리뷰를 부탁했는데, 마음에 들게 남겨주어서 고마웠다.

"진솔한 경험담으로 이루어져 있어서 매우 가독성이 있다!
세계 평화를 향한 영적 여정의 기록과 저자의 정신적으로 힘든 과정을 극복한 진솔한 경험담이 그 어떤 누군가에 엄청난 도움이 될 거라고 생각한다! 저자의 용기에 박수를 보낸다.'어려움의 시간을 맞이할 각오만 있다면 삶은 쉬워질 것이다' 라는 저자의 말이 감동적이었다. 저자의 세계 평화를 향한 꿈이 반드시 이루어지길 바란다."

책의 내용이 충격적이고, 부담스러울 수 있기 때문에 리뷰를 요청하는 것이 어려웠지만, 첫 번째 리뷰를 바라보며 보물과 같이 생각한다. 내 생각이 세계를 변화시킬 수 있다고 확신하는 순간이 되었다. 그 친구가 일기책의 리뷰도 제일 먼저 남겨주었는데, 정말 감사하다. 다음에 만나면 맛있는 식사를 대접하고 싶다. 덕분에 오늘은 행복한 날이 될 거 같다.

2022/08/08

다시 한번, 선포하고 싶다. 인류의 모든 고통과 모든 악은, 나를 신인으로 강하게 만들기 위한 것이었다. 내가 하늘과 친해지도록 하여 인류를 위기에서 구하기 위한 것이다. 그런 사정이 있었으니, 이제 모든 악에 대한 심판을 거두고, 새로운 질서를 기반으로 세상의 평화가 도래했으면 좋겠다. 그 새로운 질서는 한국만을 위한 것이 아니라, 온 인류를 하나 되고 자유롭게 만들어 주는 질서여야 한다. 모든 인류가 행복하게 순응할 수 있는 질서를 세계에 세우고자 한다. 모든 악을 용서하겠다. 이제 새로운 질서 아래서, 상생의 세계로 나아가고 싶다. 그것이 나의 소망이다. 악의 역할을 했던 자들을 구원하고 싶다. 그들은 나름의 해법을 꾀한 것이다. 가진 것을 잃고 싶지 않았던 것뿐이다. 그들의 죄는 나에게 보약이 되었다. 그러니 이제는 그 모든 심판을 거두고, 행복한 세계를 만들어 가는 데 힘을 모아 주시기를 바랍니다.

2022/08/09

어제부터 비가 많이 오고 있다. 사람들이 피해받지 않았으면 좋겠다.

건강이 회복되면서 내 몸과 하늘에 감사하는 마음이 커졌다. 이런 차분한 마음을 위한 고통이었다고 생각하니, 결코 헛된 시간이 아니었다는 생각이 든다. 저를 이끌어 주시는 모든 존재에게 감사함을 느낍니다.

아직도 조현병이나 조울증에 대한 인터넷의 설명 들을 보면, 정신병에 걸린 사람들을 억압하는 내용이다. 그 설명들에 의하면 나의 글은 정신병을 극복하지 못해서 써놓은 글이 되는 것이다. 정신병자의 망상적인 글인 것이다. 그들에게 상상력이나 창의력을 발휘하는 사회활동은 철저하게 금지된 것 같다. 그런 이상한 생각이 지금의 시선으로는 헛되어 보일지 몰라도, 미래에 어떤 가능성을 갖게 될지 어떻게 아는가. 그런 억압된 시선으로는 사주 역학이나 타로점도 미신이라고 무시할 것이다. 고차원적이고 정신적인 활동에 대해서 얼마나 무지한 시선을 반영하고 있는지를 살펴보면, 정말로 마음에 들지 않는다. 시대가 어떤 시대인데, 아직도 상상력에 대해서 쉽게 망상이라고 치부하면서 억압하려고 하는가. 그것은 세상이 변하는 것을 싫어하는 기득권층의 책략일지도 모른다.

병증에 대한 인터넷의 해설대로라면, 한번 조현병이나 조울증에 걸린 사람은 창의적인 상상을 진실과 연결하여 표현해서는 안 되고, 시스템으로부터 피해를 보아도 피해를 호소해서는 안 된다. 상상하고, 피해를 호소한다면, 병증이라고 하면서 사회에서 거부할 것이기 때문이다. 이런 말도 안 되는 상황이 어디에 있나. 조현병이나 조울증에 걸린 사람 중에는 진실을 볼 수 있는 창의적인 사람이 많을 텐데, 그들의 재능을 부정하는 것이다.

내가 조명을 받는다면, 사람들은 나의 글이 병증이라고 생각할지도 모른다. 이 책에서 권력을 가진 존재들이 나를 탄압하고 죽이려 했다는 부분은 주로 전자기기에 의한 감시나 조종과 같은 방해로 나를 억압하는 일들이 종종 있었다는 사실을 말하는 것이다. 그것은 모든 활동을 가로막을 수 있고, 건강을 상하게 만들어 의지를 거두게 만들 수 있다. 이런 부분을 표현한다는 것이 조심스럽지만, 용기를 낼 수밖에 없었다.

2022/08/10

가장 질서의 상층에 있어야 할 존재가 신비화되어 편집된 이미지를 보여주는 것이 아니라, 평범한 실상을 가감 없이 보여준다면, 그것이야말로 혁명이고, 평등으로 가는 길이다. 내가 주장하고 싶은 것은 모두가 주인이 되어야 한다는 것이다. 힘을 가졌는데도 사용하지 않겠는가? 하는 생각이 떠올랐다. 충만한 에너지를 가진 지속 가능한 여정을 생각하면서도, 앞으로 더 기도해야겠다는 생각이 들었다.

사람들에게 의견을 직접적으로 표현하고, 가르치려고 하지 말고, 행동으로 보여주어서 자연스럽게 변화하도록 하라는 생각이 떠올랐다. 가르침을 표현한다면 폭력이 될 수도 있기 때문이다. 좋은 일이 다가오기 전에 시험에 들듯이, 혹은, 악마가 방해하듯이, 갈등을 겪을 만한 일들이 자꾸 생긴다.

책의 홍보와 판매를 위해서 내가 무엇을 할 수 있을까? 그래도 최근에 '스트레인지 뷰티'라는 검색어 유입으로 사람들이 블로그에 종종 들어오고 있다. 어떤 노력을 기울여야 할 것 같은데, 그것이 무엇인지 모르겠다.

한국에 비가 많이 와서 사람들이 큰 피해를 보았다. 한국 사람들이 비 피해에서 벗어날 수 있게 해주십시오. 더불어 전 세계에도 기후 이상으로 인한 재해가 사라지도록 해주십시오.

2022/08/11

모든 인류가 주인이 되는 세상? 나는 언젠가 인간은 하늘의 노예라는 생각을 한 적이 있었다. 심연에서 하늘과 소통하고 고통을 겪으면서 그런 생각을 한 것이다. 나는 하늘에 복종하는 법을 배웠다. 그것에 대해서 절망적으로 생각하기도 했는데, 그때 마음속에서

'그것을 인간들은 자유라고 말한다'는 생각이 응답했다.

역사의 예정된 섭리가 있다는 믿음, 절대 이성이 인류를 이끄는 방향이 있으며, 일어날 일은 일어나고야 만다는 믿음이 인간을 자유롭게 만드는 것 같다. 역사는 인류의 자유를 증진하는 방향으로 발전해 왔기 때문이다.

진정으로 자유로운 길을 가는 인간은 하늘에 복종한다. 하늘은 참된 부모로서 인간을 이끌어가기 때문에 지나친 개입을 삼가고 있다. 하늘이 인간의 독립을 바라는 이상, 부모와 자식 간의 관계를 두고 노예적이라고 깎아내릴 수는 없다. 인간이 본성의 길을 간다

면, 하늘과 인간 모두가 바라는 행복한 길이다.

마음을 잘 다스려 가는 것이 중요하다. 더 이상 전자기기의 노예가 되지 않는다. 거대 자본의 노예가 되지 않는다. 마음을 잘 다스려서 내가 원하는 세상을 만들어 갈 것이다. 내 마음을 잘 다스리지 못해서 안 좋은 일이 생길 수도 있을 것 같다. 무의식의 능력이 중요한 사람은 그만큼 자신을 잘 다스려야 하는 책임이 있는 것이다. 누군가에 대한 미움이나 원망의 감정이 생기기도 하지만, 언제나 직면하여 긍정적으로 해석하고 흘려보내야 한다. 그렇게 어떤 생각도 마주하며 직시하다 보면, 나의 세계는 더욱 굳건해질 것이다.

자신의 현실적인 이익을 등한시하는 바보처럼 살아간다면, 나를 죽이고 남을 위해서 살아간다면 행복할 것이지만, 현실과 관계를 맺고 살아가야 하는 입장에서는 현실적인 이익도 무시할 수 없는 조건이 된다. 그래, 부족함.... 이런 부족함을 이어간다면 훌륭함을 유지할 수 있을 것 같다. 자연스러운 갈등이 있고, 균형을 찾으려는 시도가 좋은 글을 만든다. 나의 훌륭함은 글로써 표현되는 경우가 많기 때문에, 나의 부족함을 보물처럼 여기면서 살아가야겠다고 다시 한번 다짐한다.

2022/08/12

 대한민국에서 무언가 잘났거나 우수하면, 죄인이 되는 것 같다. 사람들을 질투 나게 하고 불편하게 한다는 것일까. 매사에 겸손해야 하고, 친절해야 하는 등을 요구받는다. 이렇게 대한민국은 리더에게 완벽을 요구하고 있다. 높은 기준에 맞추려면, 불편한 생활을 감수해야 한다. 그동안 완벽주의를 추구했던 교육의 영향도 있지만, 사회가 너무나 불평등해졌기 때문에, 국민들이 살아가기 너무 힘들기 때문에, 운이 좋고 재능이 있는 사람들에 대한 반감이 생기는 것이다. 생활이 팍팍한 이유가 리더의 무능으로 연결되기 때문에, 국민들이 살만한 세상이 되기 전까지 그것은 어쩔 수 없는 일이다.

 아름다운 내면을 향한 길은 쉽지 않은 길이다. 현실적 조건을 고려해야 할 때, 책에 나온 것처럼 이상적인 상태를 지켜가는 것은 어려운 일이다. 아무것도 부족함이 없이 혼자서 이 세상을 살아야 가능할지도 모른다. 아름다운 내면을 지켜가는 삶이란, 아무것도 시도하지 않고 평정을 유지해 가는 인생이 아니라, 갈등과 불안이 올 때마다 균형을 찾아가며, 자신을 다스리려고 노력하는 삶을 말할 것이다. 행복한 내면의 지속을 위한 가장 좋은 해법은 자아가 죽어서 상대를 나처럼 생각하고 내 안에 초대하여 이타적으로 살아가는 것이라고 생각했는데, 유한한 재산을 지켜야 하는 입장이 된다면, 어려워지는 것이다. 무한히 나누는 행위가 곤란해지기 때문이다. 무한히 채워지는 사랑을 나누어 주는 것이 문제가 되지 않지만, 유한해서 지켜야 할 것이 있을 때, 무작정 나누어 주기란 어려운 것이다. 이렇게 나를 둘러싼 세계가 변화하고, 나는 또 다른 전략을 갖고서 균형을 찾아야 한다. 그럼에도, 내면의 평온을 유지하며 미래를 창조해 간다.

물질도 무한히 충족될 수 있다는 믿음이 있다면, 주변에 나누어 주는 것에 대해서 고민하지 않을 것이다. 사랑은 실천하면 언제나 충족된다는 것을 알게 되었기에, 무한한 것이라고 할 수 있을 것이다. 하지만, 돈이라는 것은 때와 운이 허락할 때만 벌 수 있는 유한한 자원이지 않은가? 그래서 아직은 나눔을 주저하게 되는 것이다. 무의식을 활용한다면, 돈도 때와 운에 관계없이 무한대로 벌어갈 수 있을까? 그런 믿음이 있다면, 나는 예전의 방식을 지속해 나갈 수 있을 것이다. 아직은 내가 벌 수 있는 재산의 규모에 대해서 감을 잡지 못하기 때문에, 조금은 가난한 마음을 갖는지도 모른다.

용서하지 않는다면, 덕이 떠나가 버리겠지? 그것을 경험적으로 알면서도 쉽게 용서하지 못하는 마음에 괴로워한다. 그럴 때는 그 미움의 대상을 이해해 보려고 들여다보며, 시간의 도움을 받아야 한다. 그러다 보면, 이해할 수 있는 코드가 떠오르기도 한다. 이렇게 흔들리는 불안함을 사랑한다. 부족한 나를 사랑한다.

코로나바이러스 확진

2022/08/20

코로나바이러스에 감염되었다가 회복되었다. 나는 영적이고 바른 길을 추구하기 때문에 쉽게 걸리지 않을 것이라는 생각을 했었는데, 막상 걸리게 되니, 기존의 믿음이 흔들리며 세계가 무너지고 있었다. 가족들이 모두 감염되어 고생했다. 그래도 몇 년 전보다는 감염 자들의 증상이 약해져서 다행이었다. 내가 모르는 하늘의 계획이 있다고 생각하며, 앞으로 길을 위해 정신을 가다듬어 보려고 노트북을 켰다.

최근에 내 안에 생겼던 미움을 다스리지 못한 것에 대한 처벌이라고 생각하려고 한다. 그래야 긍정적으로 승화할 수 있는 경험이 될 것이기 때문이다. 겸손한 마음으로 하루하루 정진하면서 살아가야겠다. 지금까지 내가 잘못했던 것들에 대해서 용서를 구하고 싶다. 내가 아는 범위만큼 밖에 이해하지 못하면서 다른 생각을 하는 사람들에 대해서 원망하거나 적대적인 마음을 가졌던 것에 대해서도 용서를 구하고자 했다. 그리고 나를 정화할 수 있는 방편이 무엇이 있는지 더 생각해 볼 것이다. 나는 이런 사태를 두고, 아무런 의미가 없다고 말하고 싶지는 않다. 내가 더 겸손하게 거듭날 기회로 만들고 싶다. 생명은 유한하며, 후회를 만들지 않기 위해서 살아가야 한다. 모든 일이 잘 풀려나갈 것이다. 그것은 나만의 성공이 아니라, 모든 이들의 성공이 되어야 한다. 아주 큰 성공을 불러와서 모든 이들과 그 공을 나눌 수 있을 정도가 될 것이다. 나는 참 행복한 사람이다. 그래, 나는 참 행복한 사람이다.

2022/08/21

큰 증상은 사라졌지만, 코가 막히고 기운이 조금 없다. 언니의 말로는 증상이 완전히 없어지는 데에 한 달 정도 걸린다고 한다. 만사가 잘 풀렸으면 좋겠다.

아직도 나의 길을 방해하는 적이 있다면 무엇일까. 내가 왕당파의 우두머리 역할을 한다면, 그동안의 민주화 운동이 소용없어진다고 생각하는 무리일까. 하지만, 그 과정이 정말로 의미가 없었을까? 그런 과정이 있었기 때문에 국민들이 진정한 국가의 주인이 될 수 있는 것은 아닐까? 왕당파의 대표성을 띠는 나의 길에 약간 염려되는 것은 평범한 국민들의 입장을 대변하는 좌파적 무리의 방해가 있지 않을까 하는 생각이다.

그들은 무엇을 두려워하는 것인가. 다시 신분제 사회로 돌아갈 것인가? 더욱 불평등한 사회가 될 것인가? 그것은 나눌 수 있는 파이가 작을 때 해당하는 말이 아닌가. 왜 구시대적 방식에 머물면서 이익을 독식하려고 하는가. 다양한 인간의 군상들이 서로 상생하며 살아갈 수 있는 사회를 꿈꾸는 것이 잘못된 것인가? 당신들만이 통일의 과실을 나눌 자격이 있다고 생각하는가?

새는 양쪽 날개로 날고, 그래야 국민들의 잠재력을 극대화할 수 있어 건강한 사회로 나아갈 수 있다. 어느 한 편만이 옳다고 주장하는 역겨움은 거두어라. 당신들만이 통일의 주체자라는 생각을 거두어라. 모든 국민이 저마다의 역할을 하며 버텨 온 대한민국이다. 당신들의 공을 무시하지 않는다. 그러니 우파 사람들의 공도 인정하고 공존을 모색하라.

모든 악의 근원은 외부의 강력한 국가에 의존하며 기생하려는 기득권들의 버팀이다. 정말로 마음에 들지 않는 현실이지만, 어쩌면 나의 힘을 증명하지 못했기 때문일 수도 있다. 모든 것은 내가 부족해서, 내가 힘을 갖지 못해서 벌어지는 일이다. 이럴수록 나는 수신에 힘쓰면서 세상을 널리 이롭게 하기 위한 계책을 세워가야 할 것이야. 내가 바라는 것은 언젠가 밝은 추구 심이 다가와서 생각을 새롭게 정립할 수 있는 것이다. 세상의 혼탁함은 근본적으로 내 탓이다. 나의 덕이 부족하여, 하늘의 도움을 끌어내지 못하고 있다. 생각을 맑게 다스려서 모든 사람들이 행복하게 살아갈 수 있는 세상이 되기를 기도하자.

어렵다고 생각하면 어려운 거고, 쉽다고 생각하면 쉬운 거야. 문제가 많은 세상, 질서가 바로잡히지 않은 세상, 혼란스러운 세상을 사랑한다. 어둠 속에서 한 줄기 빛이 떠오르고 있기 때문이다. 모두가 갑자기 좋아지기에는 시간이 걸리겠지만, 하늘이 나에게 어떤 기적을 보여주시어, 만인이 자발적으로 순응할 수 있는 질서를 만들어 주셨으면 좋겠습니다. 저에게 힘이 담긴다면, 그 힘을 함부로 사용하지 않겠습니다. 인간들에게 깨닫고 반성할 기회를 주십시오. 그리고 한 번만 더 기회를 주십시오. 저희에게는 험한 세상 속에 많은 유혹이 있고, 생계를 생각하며 현실을 외면할 수 없는 구조적 한계를 갖고 있습니다. 모든 것이 바로 잡히는 데에는 시간이 걸릴 것입니다.

저 역시 세계의 변화가 두렵습니다. 그래도 내면에 대한 한 줄기 믿음을 갖고 걸어가 보려고 합니다. 저를 도와주십시오. 저에게 바른 생각이 깃들 수 있도록 도와주십시오. 편안한 잠을 청할 수 있도록 도와주십시오. 더 큰 부와 명예보다 세상을 널리 이롭게 다스릴 수 있는 소중한 지혜를 내려주십시오. 인간들은 변화할 것입니다. 제가 하루를 보람 있게 살아갈 수 있도록 도와주십시오. 그렇게 조금씩 걸어 나가겠습니다.

어쩌면 국민들은 진실을 알고 싶지 않은 것인지도 모릅니다. 오직 저 혼자서만 통일을 염원하며, 비핵화를 염원하며, 새로운 질서를 염원하고 있는지도 모르겠습니다. 죄를 지은 자들이 벌을 받고, 공을 세운 자들이 이익을 얻는 것을 바라는 제가 잘못된 것입니까? 가끔은 역사를 알아주지 않는 국민들이 원망스러울 때도 있습니다.

통일의 가능성을 좋아하기 보다, 잘난 사람의 등장에 배 아파할지도 모릅니다. 하지만 따지고 보면, 제 나이가 거의 마흔인데, 이 정도 성취는 그리 지나치지도 모자라지도 않고 마땅하다고 봅니다. 국민들에 대한 믿음을 이어가고 싶습니다. 이런 험한 여정에 국민들마저 원하지 않는다면, 무슨 희망으로 살아가야 하겠습니까?

저는 세상의 통합을 바라고, 바른 질서를 바라지만, 정당하지 않은 방식으로 권력을 탐하고 죄를 저지르는 자들을 용서하기 힘이 듭니다. 제가 이번에도 용서한다면, 앞으로도 계속 방해하면서 법을 어길 것이 아닙니까? 용서하려고 하는 것은 어리석은 것입니까? 그들은 죄를 알고 있습니까? 언제나 쓴 약이 되었다고 용서하고, 그들은 또다시 죄를 저지르는 것입니까? 그런 세상에 희망이 있습니까? 저의 투쟁은 누구를 위한 것입니까. 오늘은 문득 억울한 심정이 들어 하소연해 보았습니다.

그러나 모든 것은 섭리 속에, 자유를 더욱 드러내기 위한 자연의 섭리 안에서 발생한 것으로 생각하겠습니다. 부디 세상에 바른 질서를 내려주십시오. 더 큰 긍정을 위해서 인간을 포기하지 않는 마음을 지켜갈 수 있도록 도와주십시오.

2022/08/22

확진된 지 10일밖에 지나지 않았는데, 너무나 많은 시간이 흐른 것 같다. 아무리 몸이 힘들어도 정신만은 바로 세워서 내일의 희망을 맞이해야 한다. 가족들의 몸과 마음이 건강해지길 소망한다.

감사합니다. 이 정도로 몸과 마음을 다스릴 수 있도록 허락해 주셔서 감사합니다. 부모님의 건강을 지켜주십시오. 저를 죽이려 했던 모든 이들을 용서하겠습니다. 그들 덕분에 제가 더욱 강해진 것입니다. 더욱 굳건한 소명에 마주하게 된 것입니다. 그들의 역할을 존중합니다. 모든 이들 덕분입니다. 아직도 작은 마음을 물리치기 위해 싸우는 저를 용서해 주십시오. 모든 것이 저의 탓입니다. 제가 좀 더 적극적으로 미래를 창조하기 위해 노력하지 않은 것입니다. 오늘부터라도 원하는 미래를 그리며 기도하며 살아가겠습니다. 부디 세상에 복을 내려주십시오. 모든 이들이 승리하는 세계로 인도해 주십시오.

현재의 나로서는 많은 돈이나 명예보다, 과업을 어떻게 하면 완수할 수 있을 것인가가 중요한 과제가 된다. 미래에 내가 성공한다면, 과업을 달성했기 때문에 인정을 받는 것이다. 그래서 다른 모든 것은 제쳐두고, 미래 한국 사회에 대한 비전을 가다듬어 나가는 일에 전념해야 하는 것이다. 어려운 수학 문제는 풀렸다. 해답은 보였다. 그것을 현실화하는 문제가 남은 것이다.

북한과 하나의 국가로 통일되기 위해서는 외부의 강대한 힘에 종속되는 질서를 청산하는 것이 가장 중요해진다. 한민족의 내적 힘으로, 질서의 주체로 우뚝 선다면, 그리고 그 과정에 북한의 기여를 인정한다면, 북한이 통일을 주저할 이유는 없다. 비전은 북한도 남한도 알고 있다. 중요한 것은 강대국들의 승인을 받는 일이다. 그런 의미에서 세계질서가 변화하고 있는 이러한 시점은 한국에 유리해진다고 볼 수 있다.

미래의 어떤 정보가 너무나 친숙하게 다가온다면, 그것은 진실에 가깝기 때문일 것이다. 한국의 통일과 세계 평화가 어렵지 않게 느껴진다. 이것은 많은 이들이 염원하는 미래이기 때문이다. 이렇게 어려운 과업을 완수하지 못하고 죽었다면 얼마나 천추의 한이 되었을 것인가. 아무도 완수하지 못하는 감옥 속에서 우리 민족은 죽어갔을 것이다.

나는 세계를 변혁시키는 주체자이다. 그리고 그 길은 하늘이 승인한 길이기 때문에, 많은 존재들이 질서에 순응하려고 할 것이다. 이럴수록 나는 더욱 내면의 안내를 받아야 한다. 문제는 한국인들이 나를 별로 좋아하지 않을 것 같다는 것이다. 그렇게 교육받아왔기 때문에 어쩔 수 없는 일인지도 모른다. 좋아한다고 해서 좋아할 일도 아니고, 싫어한다고 해서 절망할 일도 아니다. 나는 단지, 내 운명이 가리키는 과업을 완수해서, 우리 민족이 좀 더 살기 좋은 환경에서 살 수 있도록 안내하는 것이다. 정말 많은 시간이 흘렀고, 많은 희생이 있었다. 이제는, 이제는 그 문을 좀 열어주셨으면 좋겠다.

지금은 과거의 상처를 녹여내고 미래의 비전을 만들어 가야 한다. 그래서 어떤 원망도 남김없이 제거해야 한다. 시간이 약이다. 이렇게 한 인간은 성숙을 향해 나아간다. 내가 두려운 점이 있다면, 중요한 시기를 놓쳐서, 나의 책이 더 널리 퍼질 기회를 놓치고, 역사적인 역할을 하지 못하게 될까이다. 내가 아버지를 미워하고 사랑하듯이, 국가를 미워하고 사랑한다. 이 정도로 괜찮은 것일까? 나는 잘살고 있는 것일까?

세상은 원래부터 그랬다. 대한민국은 철저히 능력 중심의 사회다. 능력이 없다면 사정없이 무시당하지만, 능력이 있다면 무궁무진한 찬양으로 대우해 준다. 지난 몇 년간, 나는 그것을 철저하게 깨달았다. 세상이 나를 알아주지 않아도 걱정할 것은 없다. 나는 나의 길을 걸어가는 동안에, 세상과 사회와 만나는 지점이 있다면 응해주면 되는 것이다. 내가 중요하게 생각해야 할 것은 어떤 경우에도 중심을 잃지 않고, 길을 열어나가는 책임이 나에게 있다는 것이다. 좀 더 노크를 해본다. 역사에게, 나의 운명에게, 당당하게 살아갈 수 있도록 어딘가 숨겨진 의미를 발견하고자 한다.

2022/08/26

고난을 통해서 몸과 내면에 더욱 감사하는 마음을 갖게 된 것 같다. 천천히 꼭꼭 씹어서 음식을 먹듯이 하루하루의 시간을 충실하게 보내자.

어쩌면 한국의 기득권층은 내가 실제로 죽어서 국가를 위한 나의 영향력으로 이익을 취하면서도 자신들의 권력을 놓지 않기를 바랄지도 모른다. 한국의 기득권들이 바라는 것은 국민들이 진정한 주인이 되지 않고, 소수 들을 위해서 희생하는 도구가 되는 것일지도 모른다. 국민들이 모두 진정한 주인이 된다면, 자신들의 이익을 나누어야 할 것이기 때문이다. 지금처럼 마음대로 사업하고 살아가기 어려워지기 때문이다. 그것은 우파나 좌파 모두 마찬가지다. 국민들의 귀와 눈을 가리고, 자신들의 업적인 양 치켜세울 것이다.

결국은 국민들의 각성을 기대할 수밖에 없는 것인가요. 국민들은 이미 다 알고 있습니다. 문제는 무엇인가. 묻고 또 물어갈수록, 막다른 골목에 도착한 것 같습니다. 모든 국민이 행복해지는 길은 무엇인가요. 저 역시 행복하게 살고 싶습니다. 저도 행복해지고, 국민들도 행복해지는 방법이 무엇인가요. 기득권층과 비기득권층이 함께 상생하고 잘 살아갈 수 있는 법을 알려주십시오. 천천히, 아주 천천히, 사람들을 움직이게 할 것이라고 생각합니다. 너무 조바심 갖지 않겠습니다. 한국의 국민들은 우수하고 유능합니다. 저는 바보처럼 살아가겠습니다. 언제나 저의 부족함을 돌아보며, 마음을 다스려 가겠습니다. 조금 더 충실한 지도자가 될 수 있도록 노력하겠습니다. 저에게 한줄기 지혜의 빛을 내려 주십시오. 선조들의 예언이 실현되는 역사를 보여주십시오. 강대한 힘 앞에 기득권들이 무릎을 꿇어 엎드리게 해주십시오. 제가 역할 하지 않으면 대한민국의 역사는 한 걸음도 더 나아갈 수 없다는 것을 세상에 보여주십시오. 그리고 제가 나올 수 있도록 세상이 마중 나오게 해주십시오. 아무도 저에게 대적할 수 없는 세상을 만들어 주십시오. 저는 국민들의 행복만을 생각하면서, 뉴스도 보고, 새로운 시대를 구상하며 살아가겠습니다.

2022/08/27

다시 길을 이어가야 한다. 세계의 변화를 바라보고, 미래를 예측하기 위한 정보와 자료들을 끌어당겼다. 일단 내가 유의미하게 알게 된 정보는 계룡산이 만주에도 있다는 것. 그곳이 통일 이후의 중심지가 될 수 있다는 것. 내가 북한으로 가서 산다는 아이디어와 연결될 수 있다는 생각이 들었다. 언제나 본능적인 기록은 내일의 단서가 되기 때문에 소중히 한다. 7년의 환난이 계묘년에 끝난다는 것. 많은 세계인들이 노예적 질서를 거부하고 있어서 힘을 합치게 된다는 것. 남북통일은 단순히 국가적인 차원의 어젠다는 아니다. 전 세계적 위기를 해결하기 위한 것이다. 그리고 탄허 스님의 예지에 따르면 국제적 권능의 지도자가 이 땅에 출현한다는 것. 그 지도자의 가장 중요한 능력이란 하늘과 소통하는 능력일 것이다.

어제 문득 의미 있는 생각이 떠올랐다. 내가 해야 하는 가장 중요한 일은 하루의 일상을 충실하게 관리하는 일이라는 것이다. 운동을 하고, 건강을 돌보고, 가정의 안녕을 기원하고, 잘 챙겨 먹고, 바른 자세로 미래를 구상하고, 정보를 구하고, 잘 자고, 부정성을 잘 해소하고, 큰 에너지를 잘 유지해 가면서 미래를 창조하는 구심점의 역할을 잘해야 한다는 것이다. 이미 갖고 있는 능력이기 때문에 소중하지 않게 여기는 경우도 있었다. 하지만 소중하지 않게 여긴다면, 하늘이 나를 아프게 만들어서, 몸을 더 소중하게 여길 수밖에 없는 국면에 처하게 될 것이다. 그래서 겁을 내고, 하루를 감사하고 충실히 보내고자 한다. 중요한 일이 멀리에 있는 것이 아니라, 지금, 이 순간에 벌어지고 있는 현실을 잘 관리하는 것에 있다는 것이다. 동양적인 가치인 수신이 가장 중요하다는 결론에 이른다.

세상과 싸우지 마라. 오래전에 트랜 서핑 타로와 그 철학을 접했는데, 잊고 살다가 문득 다시 찾아보았다. 목표에 너무 큰 중요성을 두면 실패할 수 있으니, 당연하게 될 수 있다고 믿고 의도하라는 내용이다. 타로의 결과도 내 마음에 영향을 많이 받는다면, 사주나 타로를 중시하지 않고, 내 마음가짐을 바로잡는 것, 문제를 설정하고 해결하며 정보를 끌어당기고 길을 열어가는 것이 중요해진다.

기득권들이 나의 존재를 경계하는 것은 그들이 갖고 있는 파이를 나누자고 할까 봐서, 자신들의 이익을 잃을까 봐서 그런 것이 아니겠는가. 하지만, 애초에 나누어야 할 파이 자체를 크게 만들어 준다면, 기득권들에게도 큰 피해는 없다. 문제는 변화에 소극적이라는 것이다. 기득권들 중에도 유능한 자들은 이 변화의 시기를 큰 투자의 기회로 여기며 반길 것이다. 하지만, 실력은 부족한데 운이 좋아서 기득권을 차지한 자들은 이런 변화의 시기에 어떻게 대처

해야 좋을지 잘 모를 수 있고, 역사를 원망할지도 모른다. 내가 하고 싶은 말은, 나의 존재는 기득권들이나 비기득권들 모두에게 기회로 작용할 수 있다는 것이다. 이런 변화를 받아들이지 못한다면, 세계 멸망의 노예적 신세계 질서가 기다리고 있다. 그래도 좋다는 말인가? 어디 한번 생각해 보라. 당신들이 갖고 있는 것을 내려놓으라는 것이 아니다. 더 큰 세계로 나아가자는 것이다.

내가 드러나서 권력을 차지하지 않는다면, 하극상의 질서는 제대로 잡히기 어려울 것 같다. 세상을 평정하고 싶다. 세상을 뒤집고 싶지 않다. 단지, 질서를 바로잡고 싶다. 지나치게 좌파적으로 기울어진 국가를 진정한 정신의 가치를 높일 수 있는 국가로 바로잡고 싶다. 변화에 적응하는 유능한 사람들이 살아남는다. 부자가 가난해지고, 가난한 이가 부자가 되기를 바라지 않는다. 단지, 변화에 잘 적응하는 유능한 사람들이 부를 얻을 수 있고, 가난하고 평범한 사람에게도 상식적이고 희망적인 기회가 올 수 있는 이상적인 사회를 바란다. 이런 생각을 하는 나에게 어느 누가 저항할 수 있다는 말인가. 이것은 자연의 섭리이고, 이치일 것이다.

사주나 타로도 중요하지만, 매월 그 변화에 신경을 쓰기보다는, 내가 꿈꾸는 미래의 비전을 만들어 가는 것이 더 중요하다. 결국은 부처님 손바닥이겠지만, 내용을 만들어 내야 생존할 수 있다. 내가 바라보고 있는 미래가 너무나 찬란하고 소중해진다. 내가 누리고 있는 모든 것에 감사한다. 나는 앞으로 가는 길에 좀 더 나은 전략을 끝없이 구하고, 낮은 자세로 세계 평화를 위해서 살아갈 것이다. 이제 악의 세력들의 역할은 끝나간다. 그것은 한 생명이 태어나서 죽음을 거부할 수 없듯이, 받아들일 수밖에 없는 숙명이 될 것이다.

2022/08/28

이제 8월도 다 끝나간다. 신년에 한 역술인에게 임인년 운세를 들었을 때 6월과 8월 사이에 어떤 기회가 올 수 있다고 하였는데, 그런 일은 일어나지 않고 있다. 그게 걱정 아닌 걱정이다. 미래 비전을 한껏 가진 나는 부자이다. 이미 모든 것을 다 이룬 것이다. 이제 예정된 섭리가 일어나는 일을 지켜볼 뿐이다. 그 과정에서 나의 책이 널리 알려질 수 있는 방책이 다가왔으면 좋겠다. 나의 덩어리가 너무 거대한데, 책을 홍보하기에는 부담스럽다. 이 기득권 사회가 나의 등장을 막고 있는 것이다. 그러나 언젠가 세상이 나의 존재를 거부할 수 없는 순간이 올 것이다. 그것은 예정된 것이다. 나는 선택받은 존재이기 때문이다. 모든 것에는 때가 있다.

나를 둘러싼 모든 존재들이 이제는 운명과 역사에 순응하고, 새로운 세계를 준비할 수 있었으면 좋겠다. 언젠가 나의 적들을 설정하며 원망하기도 했지만, 모든 것은 연결되어 있었던 것이다. 나의 적들이 나를 빛나게 만들어 주었다. 나의 가치를 한껏 높여 주었다. 자유의 반대편에 있는 모든 것들이 만든 조건이 인류가 나를 더욱 간절하게 부르도록 만들었다. 그것이 역사의 바람일 것이다. 모든 인류는 자기도 모르게 역사에 순응하며 살아가고 있었던 것이다. 더 이상의 통찰이 다가오진 않는다.

이 7년의 환란 기가 지나고 나면, 인류는 어떤 세상을 맞이하게 될까. 추배도에서 말하는 것과 같이, 온 인류가 하나 되어 상생하는 그런 평화롭고 눈물겨운 세상이 펼쳐질 것 같은 좋은 예감이 든다. 나에게 한결같이 다가오는 미래의 정보는 일관성이 있었다. 그리고 내 안에 저장된 미래의 비전은 아주 조금씩 고개를 들면서, 구체적인 모습을 드러내어 간다. 역사가 나를 선택해 주어서, 진정한 인생을 살아갈 수 있도록 해주어서 감사함을 느낍니다. 제가 나태하거나 자만하지 않고, 역사적 임무를 완수할 수 있도록 도와주시기를 바랍니다. 온 세계의 인류와 함께 새로운 시대를 열어가겠습니다.

2022/09/06

최근 가정 내에 좋지 않은 일들이 자꾸 생겨서 내 생각이 현실을 창조한다는 생각을 더 갖게 되었다. 깨달음이나 도에도 집착하지 말고, 평범한 개인으로 살아가는 것이 도라고 생각했는데, 생각하고 판단하는 의식을 조절해야 한다는 생각이 들었다. 가족이나 세상에 대해서도 어떻게든 긍정적인 측면을 이해하고 받아들이는 연습을 해야 한다. 어쩌면 그것이 나의 최종적인 직업이자, 목표인지도 모른다.

숨어서 세상을 이롭게 만드는 작업은 수신에 힘쓴다면 가능하다. 부담이 될까 봐 그 중요성을 잊으려고 했는데, 생각의 창조 작업은 더 이상 부인하기 힘들 정도가 되었다. 나는 공허한 시간에 심심해하지 않고, 사고력과 상상력을 발휘해서 문제가 해결되기를 염원하는 기도를 해 나가야만 한다. 원하는 미래를 의도적으로 각인하는 작업을 해 나가야 한다. 또다시 대상을 미워하는 것과 같은 실수를 한다면, 한 번 더 고통이 올 것이다. 나는 생각이 강하기 때문에 생각하는 것만으로 세상을 해칠 수도 있는 것이다. 이런 사람은 더 조심스럽게 살아야 하는 것이다. 남들이 대충 산다고 나도 그렇게 살 수는 없는 것이다. 이런 구조를 알고는 있지만, 현실 속에서 타인과 함께 조화를 이루며 살아야 하는 나로서는 혼자서 고고함을 유지해 나가기가 어려워지는 것이다. 이것은 변명인지도 모른다.

오랜만에 예스24 책 판매 페이지에 들어가 보니, 누군가 '스트레인지 뷰티' 책에 대한 한 줄 평을 남겨놓았다.

"본인의 영적인 경험을 통해 숙명을 안고 앞으로 나아가는 정도령의 힘들지만, 꼭 필요한 여정"

책을 읽어 본 친구 두 명에게 리뷰를 부탁했는데, 그중 한 명이 한 줄 평을 남겨놓은 것인지도 모르는 일이다. 하지만, 내가 시키지 않았는데, 타인이 나를 정도령이라고 하는 글의 부분을 보니 기분이 묘하게 좋았다. 너무나 정확하게 책을 설명하는 한 줄 평이었던 것 같다. 누군지는 모르겠지만, 감사드린다. 이것으로 책에 대한 국민들의 관심이 높아졌으면 좋겠다.

그리고 한 스님의 글을 통해서 알게 된 내용이 있었는데, 즐거움을 추구한다면 괴로움도 같이 온다는 것이다. 내가 통일과 세계 평화라는 최고의 꿈을 향해서 나아가니, 그리고 그 과정에서 기쁨을 느꼈기 때문에 괴로운 상황 또한 같이 온다는 것인가. 그렇다면, 너무나 큰 꿈은 혼자서 감당한다면 위험해지는 것이 아닌가. 그래서 사회는 나의 공을 가로채는 듯한 메시지를 자꾸 주었나 보다. 이 사업의 주체가 자신임을 공표할수록, 나는 그만큼 위험해지는 것인가. 나는 운명이 두려우므로, 나만의 공이라고 하기보다는 모두와 함께 나누어서 괴로움으로부터 대비해야겠다는 생각이 들었다.

나의 추구 심이 강렬했지만, 실제로 많은 분들이 도와주었기 때문에 큰 역사의 발전이 있는 것이다. 정말 감사해야 한다. 내가 미워하고 사랑하는 아버지와 국가는 나를 강하게 단련시킨 것이다. 그 어느 하나도 나에게 피해를 준 적이 없다. 모든 것은 운명적 섭리의 과정에서 드러난 것이다. 세상을 원망한다면, 나를 죽이는 일이다. 이렇게 부족하고 어리석어 매일 깨닫는 내가 좋다. 하지만, 반복적으로 깨달음이 온다면, 그것을 실천하는 것이 사명이 된다. 아버지의 건강이 회복되고, 가정의 평화가 왔으면 좋겠다. 가족들이 나의 길을 응원하고, 방해하지 않는 축복의 시간이 도래했으면 좋겠다. 정말로 힘들었던 인생길에서 자식 농사 하나만을 생각하며 쉬지 않고 달려오신 부모님에게 가슴 깊이 감사함을 느낀다.

2022/09/11

최근 코로나 감염과 아버지의 수술 때문에 가정 분위기가 혼란스럽고 좋지 않았는데, 추석 연휴 전에 수술이 잘 끝나고 안정을 찾아서 마음 좋은 연휴의 시간을 보내고 있다.

추석을 맞이해서 자매들과 오이도역 주변에 일몰 카페에 다녀왔다. 조개구이로 유명한 집에서 점심을 먹고, 바닷길을 걸었다. 날씨가 너무나 좋아서 하늘 사진을 많이 찍었는데, 태양이 무지개 꽃처럼 찍혀서 기분이 좋았다. 언니는 카메라 렌즈가 지저분해서 그렇게 나온 것이라며, 의미 부여하는 나에게 찬물을 끼얹었지만, 나는 왠지 하늘과 소통하는 느낌과 함께 좋은 징조로 해석하고자 했다. 하늘과 바다와 태양이 우리를 영혼 깊이 치유해 주었다. 조개구이는 맛있었고, 저녁에 일몰 카페에서 석양을 감상할 수 있었는데, 그 모습은 너무나 아름다웠다. 한 편의 영화를 보는 것 같았다. 하늘이 '그동안 정말 고생 많았어. 잘 왔어. 내가 선물을 줄게.' 하고 말을 거는 것 같았다.

특히, 인상적이었던 것은 태양이 바다에 비쳐서 그 밝기가 훨씬 밝아진다는 것을 실제로 보게 되었다. 역학에서 '강휘 상영'이라는 말이 있는데, 병화에게는 임수가 있어야 더 돋보이게 된다는 의미라고 알고 있었다. 그런데 실제로 보니, 정말 눈이 부실 정도로 태양이 밝아진다는 것을 알 수 있었다. 그래서 올해 임인년의 의미를 더욱 되새기며 생각해 볼 수 있었다. 우리 세 자매가 개성이 강하지만, 앞으로 서로 협력하면서 더욱 상생할 수 있는 관계가 될 수 있기를 바랐다.

또 인상적이었던 것은 내 사진을 찍었는데, 표정이 매우 밝고 자신감 있게 나온다는 것을 알 수 있었다. 언니는 내가 유명해져서 인터뷰하는 기사에 나올 것과같이 자연스럽고 당당한 사진이라고 칭찬해 주었다. 운이 좋아지고 있는 것이 관상에 드러난다고 하더니 정말 그런 것 같았다. 과거에는 카메라 렌즈를 보는 것이 쑥스러워서 렌즈를 피하거나 우스꽝스러운 포즈로 사진을 찍곤 했는데, 지금은 사랑스러운 눈빛으로 카메라를 응시할 수 있게 되었다. 그동안 얼마나 많은 내면의 성장이 있었던가. 그 모든 시련과 고통과 성찰이 나를 더욱 단단하게 만들어 준 것이다. 이런 정도의 자신감이라면 사회와의 소통도 균형 있게 잘 해낼 수 있다는 생각이 들었다.

그래, 나는 이제 곧 마흔이다. 그 나이에 걸맞은 내면의 능력을 만들어 가야 한다. 이제는 사회적 책임에 대해서도 생각해 볼 나이가 되었다. 그 책임이란, 내면의 길을 열어가는 것과 동시에 사회와의 상호작용에 대해서도 생각해 보며 행동할 수 있어야 할 것이다. 나는 언제나 더 큰 통합의 균형점을 발견하고, 그러한 정신을 지향할 수 있도록 자신을 극복해 내야 한다. 적은 없다. 모두가 승리하는 세상이 있을 뿐이다.

그리고 또 한 가지 기록해 두어야 할 것이 있다. 스스로 생각하는 시간을 더 가져야 한다는 것이다. 이것은 오래된 깨달음이다. 나의 경우에는 질문을 하면 해답에 근접할 수 있는 정보를 끌어당기는 특성이 있기 때문에, 질문을 분명히 할 필요가 있다. 나의 모든 순간이 미래를 창조한다. 어떠한 부정성도 긍정적으로 관리해 나가야 한다. 그것이야말로 나의 직업이다.

내가 출판에 너무 큰 중요성을 갖고 있었기 때문에 오히려 악영향을 끼칠 수 있었다는 생각도 들었다. 그래서 내 몸의 길을 따르며 자연스러운 역사의 흐름을 믿어보기로 했다. 스마트폰의 편리함으로 인해 자세가 흐트러지고, 게을러지는 몸과 정신을 구해내야 한다. 그래도 전보다는 많이 벗어난 것 같다. 나는 인류가 메타버스나 전자기기의 세계에서 시간을 많이 보내기보다, 하늘과 잘 소통할 수 있도록, 자연과 함께 몸과 정신의 자유와 독립성을 지킬 수 있는 방향으로 진화하기를 간절히 바란다.

세상을 다스린다고 함은 쉽게 볼 일은 아니야. 그동안 무력과 돈으로 다스리던 세상을 어떻게 문화와 정신으로 다스릴 수 있겠어. 그것은 원초적인 힘이 분명히 있을 때라야 가능하다. 하늘과 함께 기적을 만들어 갈 수 있어야 가능하다. 내가 원하는 대로 미래를 만들어 가는 힘을 증명할 수 있고, 실현할수록 그 힘에 복종하는 질서가 생기는 것이다.

그래서 이렇게 내가 작성하는 글은 새로운 질서를 만드는 데 필수적인 역할을 하는 것이다. 하늘과 함께하는 생각의 여정을 솔직하게 보여줌으로써 바라고 이룬다는 명제를 증명할 수 있는 것이다. 나는 가볍고 겸손한 마음으로 글을 써 보는 것이지만, 사실 이런 나의 능력은 세계 평화에 필수적인 능력인 것이다. 가장 중요한 것은 부족하고 헤맬 수 있는 자신을 받아들이고, 겸손하게 하루하루 정진하는 것이다. 그래도 부동산 가격이 내려가고 있는 것 같아 기분이 너무나 좋다.

그렇다면 가장 중요한 것은 무엇인가. 세계의 창조자가 모든 이들을 널리 이롭게 하려고 구상하고 있느냐이다. 그래야 만인을 만족시키고 동참시킬 수 있는 것이다. 이미 구시대 리더들의 역사는 끝이 났기 때문에, 세계는 새로운 리더를 필요로 할 수밖에 없고, 새로운 질서가 등장한다면 순응하는 것이 자연스러운 일일 것이다. 하지만, 언제나 새로운 질서라는 것은 기존의 문제를 공익적으로 해결할 수 있어야 하는 것이다. 그런 존재에게 역사는 역할을 부여하는 것이다. 내가 미래를 창조하는 기술을 잘 연마하면서 부족함을 지키며 나아간다면, 세상에 못 이룰 것은 없다. 과거에는 부족함을 항상 인식하고 살았기 때문에 더 잘 창조할 수 있었던 것이다.

나는 과거의 적들에게 복수하고 싶은 생각은 없다. 다만 역사가 이끄는 새로운 질서에 모두가 동참하고, 모두가 승리하는 역사를 만들어 내고 싶다. 인류가 오랫동안 기다려 온 구세주라면 그 정도의 통합적 권능은 부여될 수 있고, 하늘도 허락할 것이다. 오로지 나의 리더십을 위해서, 그리고 그 질서의 장기 존속을 위해서 바람은 이루어져야 하고, 역사는 창조되어야 한다. 그런 생각이 너무나 기쁘고, 가슴 벅차다.

인간은 태어나면 언젠가 죽는 것이다. 그것을 거스를 수는 없는 것이다. 모든 역사는 시작과 끝이 있다. 이렇게 시작된 나의 역사는 세계 평화와 함께 마무리될 것임을 믿어 의심치 않는다. 한때 세상을 미워했던 소녀는 이렇게 성장해서 세상을 더 나은 방향으로 선도하고 있다. 거대한 세계를 감당하는 일이 어렵게 느껴졌는데, 하늘과 함께라면 감당할 수 있다. 오로지 수신에 힘쓴다면, 그 어떤 시련도 모두 극복해 낼 수 있다는 믿음이 생긴다. 많은 인류를 희생시키지 않아도, 누구나 납득할 수 있는 새로운 질서가 도래하여 만인이 승리하는 역사를 만드는 것이 나의 소원이다. 말도 안 되는 일이 벌어지고 있다.

2022/09/18

아시아의 시대가 다가온다. 언젠가 황백 전환기에 대해서 본 적이 있었는데, 지금까지 세계 역사를 주도해 온 서양의 힘이 약화하고, 동양이 역사를 주도하게 된다는 내용이었다. 그것이 실현되어 감을 바라보고 있다. 아시아의 여러 국가는 미래에 주도권을 가질 수 있었기 때문에 서구 세력에 의해 억압받고 있었는데, 아시아를 중심으로 한 새로운 질서의 등장과 함께 억압은 사라져 가는 것 같다. 아시아권의 여러 나라를 포함하여, 세계 평화를 원하는 인류가 너무나 많을 수밖에 없을 것 같다.

누군가가 나에게 해를 입혔다고 하여, 그 주체가 소속된 어떤 나라든 적국으로 볼 것은 아니다. 이런 혼란한 시대에는 어느 나라든지, 과거에 머무르려는 세력과 미래를 열어가고자 하는 세력이 있기 때문이다. 그래서 중국에도 나의 편이 많고, 일본이나 미국에도 나의 편이 많은 것이다. 지식인에 가까울수록 그럴 것으로 생각한다. 역사에 순응하는 것은 이롭고 영리한 전략이기 때문이다.

아시아의 시대는 어떠한 시대가 될 것인가. 일단 구질서를 타파하고 미래를 열어젖힌 주체의 정신을 자연스럽게 수용할 수 있어야 할 것이다. 그것은 모든 인간을 사랑하는 하늘마음을 따르고, 모두가 하늘과 함께 주인이 되어, 상생하고 협력하며 살아가는 세계일 것이다. 그리고 역사 속에서 하늘과 좀 더 긴밀하게 연결된 한민족은 세상을 널리 이롭게 하기 위한 전략으로 모든 일들을 구상해 나가야 할 것이다.

종종 사람들이 질병으로 죽어가는 것을 지켜보면서, 백신의 부작용으로 그렇게 된 것이 아닌가 하는 생각에 마음이 아프다. 이미 맞은 백신은 어쩔 수 없지만, 이제부터라도 사람들이 각성했으면 좋겠다. 이미 맞은 백신의 위해성이 있다면, 그것을 이겨내고 막아낼 수 있도록 면역력이 높아져서, 어떤 질병도 이겨냈으면 좋겠다. 많은 사람들이 질병에서 벗어나서 행복한 세상을 함께 누렸으면 좋겠다. 내가 코로나바이러스에 감염되었던 것은 확진자라고 해서 죄인이라고 생각하고 고통을 마땅하게 생각하지 말고, 나 역시 그 어떤 죄로부터 자유로울 수는 없으니, 인류를 구분하지 말고, 모든 인류를 품을 수 있는 비전을 만들어 내기 위해 노력하라고 하는 것 같다. 그래서 좀 더 몸을 소중히 하고, 겸손해지는 기회를 얻게 되었던 것 같다.

많은 서구인들이 세계 역사의 주도권이 이동하는 과정에서 아쉬워하고 박탈감을 느낄 수 있겠지만, 그들의 역사가 있었기 때문에 나의 역사가 가능했던 것이다. 앞으로 진행될 동양 주도의 역사는 서구 역사와의 단절이 아니다. 나의 존재로 인해서 하늘과 온전히 소통하는 개인적 힘의 중요성을 이어가는 역사가 될 것으로 생각한다. 그렇다면, 서구의 역사는 죽은 것이 아니고, 종결된 것이 아니다. 그래서 서구의 사람들에게도 승리가 될 수 있는, 통합적이고 진보하는 역사가 앞으로 펼쳐지리라고 생각한다. 서구 세계의 역사가 주도권을 가진 것은 강력한 역사를 이끄는 개인들의 각성 덕분일 텐데, 앞으로는 동양에서도 그런 역사적 인물들이 많이 나올 것이기 때문에, 개인적 자유의 중요성에 대한 관념이 동양에서도 널리 퍼질 것이라고 생각한다. 그래서 결국 동양과 서양적 문화를 연결하는 통합적인 세계가 건설될 것이라고 본다.

2022/09/20

보통 사람으로 살아간다는 것에 대해서 생각해 본다. 내가 매 순간 참됨을 지향하며 실천하고 타인의 모범을 보이려고 하지 않는 이유는, 즉, 부족하기도 한 보통의 사람으로 살아가려는 이유는, 주변 사람들과의 조화를 위한 것이다. 언젠가 밝음을 독점하지 말자고 다짐했던 것과 같이 나의 어리숙함을 보여주고 표현함으로써 상대를 우위에 서게 할 기회를 주어야 하는 것이다. 그래서 지나치게 도덕을 추구하려는 마음을 버리고, 자연스럽게, 하지만 도에 어긋나지 않게 살아가려는 것이다. 내가 너무 잘하고, 바른말을 하고, 침묵의 지배자가 되려 한다면, 좁은 집에서 가족들과의 생활에서 어려움이 생기는 것이다. 그렇다고 물처럼 행동해서 최종적으로 상대를 지배하고 조종하고 싶지도 않다. 그냥 모든 것들을 내버려 두고 싶다.

걱정이 있다면, 가끔 가족들에 대해서 싫어하는 마음이 생기고, 그 생각이 그들에게 좋지 않은 영향을 끼치는 것이 아닌가 하고 죄책감을 느끼게 되는 것이다. 왜냐하면, 내 생각은 실현되는 정도가 클 것이기 때문이다. 그래서 과거의 왕들은 높은 곳에 존재하던 그 자리가 적합했던 것이다. 좋은 것만을 먹고, 좋은 생각을 할 수 있도록 주변에서 잘 보필했던 것이다. 그래야 세상을 널리 이롭게 다스릴 수 있었기 때문이다. 지금과 같이 능력은 왕과 같으나 신분을 숨기고 보통 사람들의 환경에서 지내니, 종종 마음속에 혼탁함을 물리치기가 힘들어진다.

이런 문제는 내가 세상에 드러나고, 가정 내에서 나의 존재 가치를 인정한다면 해결될 수 있을까. 지금까지는 가족들이 진정한 나의 모습을 싫어할 것 같아서, 적당히 나를 죽이고 가족이라는 사회에 적합한 모습으로 살아왔다. 하지만 이제는, 가정 내에서도 어떤 힘의 구조가 변화해야 함을 느낀다. 나는 전과 같이 바보처럼 나를 죽이고, 배시시 웃고 마는 역할을 할 것이 아니라, 가만히 존재하고 그들이 나에게 맞추기도 하는 관계를 형성해야 함을 느낀다. 사회적 역할까지 생각해 본다면, 언제까지 나를 죽이고만 살 수는 없기 때문이다. 내가 오롯이 나로 존재하고 고독을 감당할 때, 가족들도 필요에 따라서 나에게 맞추어 줄 것이다. 아주 어린 시절에는 내가 둘째로서 고독하고, 조용하고, 비판적이고, 배경처럼 존재하며 역할을 해왔다. 그렇게 하면 가족들은 나에게 맞추어 주기도 했던 것이다. 이제는 있는 그대로 존재하는 사치를 누리는 인생을 살아가고 싶다. 보통의 사람으로서 말이다.

오늘도 희망적인 나의 바람을 적어보려 한다. 한국의 통일과 세계평화가 이루어졌으면 좋겠다. 그 세계 평화로 가는 길에 많은 존재들이 동참하여 극심하고 아픈 시절이 빨리 끝났으면 좋겠다. 아픈 사람들이 치유되었으면 좋겠다. 나의 감동적인 역사로 사람들에게 기분 좋은 호르몬을 많이 분비하게 해서 만병통치약의 역할을 했으면 좋겠다. 더 많은 사람들을 포용할 수 있는 지혜와 용기가 생겼으면 좋겠다. 세상을 어렵게 만들었던 악의 존재마저도 나를 생할 수 있었던 역사라는 것을 증명하고 싶다. 그래서 선도 악도 모두 품어서 그들을 근본적으로 구원하고 싶다.

인터넷 기사의 댓글을 읽어 보다 보면, 국민들이 입헌군주제나 내각제에 대해서 부정적으로 생각하는 것을 자주 보았다. 국민들이 나의 존재를 열렬하게 반길 수 없는 이유는, 나로 인해서 대통령제를 청산하고 입헌군주제로 바꾸려는 기득권층의 움직임을 예상할 수 있기 때문이다. 기득권들에게 중요한 것은 자신의 편이 중요한 자리를 차지하여 자리를 나눠갖고 권세를 누릴 수 있는 것일 것이다. 왕에게 어떤 중요한 권한이나 인사권이 없이 상징적 역할만 하고, 중요한 정사는 자신들이 하고 싶은 대로 할 수 있다면, 내각제를 원할 것이다.

하지만, 국민들은 대통령의 결정이나 결단 없이 국회의원들의 다수결로 정사를 펼쳐나가는 것에 대해서 두려움을 느낄 것이다. 왜 그러한가. 지금까지의 행태를 보면, 국회의원들의 의식 수준이 특별히 높지 않았기 때문이다. 적어도 대통령으로 뽑히는 자는 역사의식과 용기를 갖고 비교적 더 나은 의식 수준을 보여주었지만, 국회의원들의 면면을 보면 그것이 약해 보이기 때문이다. 왕이라고 기대되는 인물의 의식 수준이 높고, 결단과 능력이 좋다면 국민들도 안심하고 인정할 수 있지만, 아직 드러나지 않은 현재로서는 국민들은 내각제에 반대한다. 무능한 왕과 의식 수준이 낮은 국회의원들의 조합은 불안정하기 때문이다. 하지만, 의식 수준이 높은 편인 내가 이렇게 역사적으로 존재하게 된 이상, 앞으로 의식 수준이 높은 또 다른 리더적 인물이 한국 사회에 등장하는 것은 드물 것이다. 그래서 더욱 체제 개편이 필요할지도 모른다.

그렇다고 왕을 만들어서 많은 권한을 준다면 민주주의가 아니고 왕도정치라고, 지금까지 쌓아온 민주주의가 무너졌다며 비난할 것이다. 어떤 것이 국민과 국가를 위한 길인가. 시간이 지나면 역사가 모습을 드러낼 것이다. 왕도 적당한 권한을 가지고 있어서 권력을 행사할 수 있어야 한다고 생각한다. 그래야 새로운 질서가 자리잡을 수 있다. 단지 높은 자리에 존재만 할 것이 아니라, 힘을 적당히 행사할 수 있어야 한다. 그 힘이라는 것은 생각으로 미래를 창조하는 힘이라? 그렇다면 어떤 인사권이나 법적인 권한이 없더라도 국민이나 세상을 이롭게 하고 질서의 주체가 될 수 있지 않겠는가. 법적 시스템이 없더라도 사람들은 나를 두려워할 것이 아닌가? 보통의 왕이라면 안 되겠지만, 창조적 능력을 갖춘 나라면 다를 수 있다. 좀 더 생각해 볼 문제다.

현재의 국정을 보면 질서가 바로 잡혀있지 않다. 국민들이 역사에 좀 더 각성하고, 세상을 좀 더 사랑할 수 있었으면 좋겠다. 그 방법은 국민들이 교화되거나, 나의 포용력이 더 향상되는 데에 있다. 바보로 사는 것을 지켜야 하는 것일까? 세상의 이로움을 위해서? 잘 모르겠다. 숨어서도 충분히 미래를 구상하고 왕의 역할을 할 수가 있다. 하지만, 신분과 현실의 괴리로 인해 힘든 순간이 온다는 것이다.

2022/09/22

문제를 해결해 내는 주체는 다음 세계의 지배력을 갖는다는 것은 암묵적 동의이다. 그래서 북핵 문제 역시, 제제와 억압으로 북한의 지도 부들을 힘들게 하여 정권이 붕괴하기를 바랄 수 있다. 이것은 아마도 미국이 원하는 바일 것이고, 미국에 종속적으로 움직이고자 하는 국민들의 바람일지도 모른다.

하지만, 한반도 비핵화와 통일은 우리 민족의 역량으로 해결할 수 있어야 한다. 그래야 항구적인 평화와 독립성을 보장받을 수가 있기 때문이다. 대한민국은 오랜 시간 동안 평화통일을 지향하고 그를 위해서 노력해 왔다. 평화통일이란, 어느 한쪽을 공격하여 얻는 통일이 아니라, 두 국가가 동의할 수 있는 평화적 방법으로 하는 통일이다.

북한의 핵 개발과 독립을 향한 저항이 있었기 때문에 진정한 독립과 평화가 올 수 있다는 것을 알고 있다. 북한의 역사를 존중해 주어야, 한민족의 다음 역사에 대해서도 그들이 존중할 것이다. 북한 주민들도 우리 국민이다. 대한민국의 국민들뿐 아니라, 오랜 시간

많은 고생이 있었던 북한의 인민들도 행복해지는 시간이 왔으면 좋겠다.

덕이 충만하지 않은 사회의 어쩔 수 없는 선택이 공산주의라면, 세상에 덕을 풍부하게 가져와서 지나치게 평등을 외치지 않아도 다 같이 행복하게 살 수 있는 세상을 보여준다면, 다음에 진행될 한민족의 역사가 더 이상 종속적이지 않고 독립적으로 당당하게 존재할 수 있다면, 북한도 새로운 국가를 위해서 그 역할을 다할 것이라고 믿는다. 그들의 역사가 분명한 만큼, 다음에 펼쳐질 위대한 한민족의 역사에 대해서 인정하고 순응할 것이라고 본다. 결론적으로 말해서, 우리 한민족의 통일은 평화통일이 되어야지, 타국의 강제적 힘으로 이루어져서는 안 된다는 입장이다.

중요한 것은 남한과 북한을 통합할 수 있는 정도령인 내가 지도자로서 역할하고, 새로운 질서의 중심 역할을 해야 한다는 것이다. 그래야만 북한이 비핵화하고도 새로운 국가의 역사에 순종할 것이다. 그것이 평화통일이다.

능력이 없고 자리만 차지하는 왕에 대한 국민들의 거부감이 있다. 내가 지도자로서 역할 하기 위해서는 내가 좀 더 수신에 노력하고, 남북한 국민들에게 나의 역사가 전해져서 유능함을 인정받아야 한다. 유능한 리더는 국민들의 외면을 받지 않는다. 국민들이 원하는 것은 능력 있는 리더가 자신들을 지켜주고, 세상을 이롭게 해주는 것이다. 수신에 힘써서 그 능력을 연마해 가는 것이 내가 해야 할 모든 것이다.

2022/10/13

벌써 10월이다. 몇 달 전부터 한 젊은 역술인의 사주 상담을 통해서 앞으로 대운에 대해서 알아보아야 할 것 같다는 느낌이 들어, 신청하였는데 만족스러운 결과를 얻었다. 나는 막연하게 책이 널리 알려져서 통일을 이룰 수 있을 것이고, 책 인세에 대한 수입만으로도 넉넉한 생활을 할 수 있다고 생각했다. 그 이후의 삶에 대해서는 미루어 둔 것이다.

그런데 역술인의 말에 따르면, 인세는 평생 생계를 유지할 수 있는 정도는 아니고, 나의 책은 40대에 유명세를 치르는 정치적 소속 활동을 위한 포트폴리오 같은 역할을 할 수 있다는 것이었다. 책의 주제도 지도자의 성장기인데, 미래에 내가 지도자 역할을 할 생각이 없는 상태에서 널리 알려질 수는 없는 것이다. 책의 성공과 정치적 성공은 같이 가는 것이라는 생각이 들었다. 국민들을 하늘처럼 섬기려는 나에게 너무 많은 국민들의 관심과 집중은 두려운 일이지만, 미래의 모습이 그 무엇이든 간에 대통령을 목표로 하고,

국가 지도자의 모습에 걸맞게 스스로 발전되어야 책도 성공할 것이라는 생각이 들었다.

북한이 비핵화하기 위해서는 북한을 포용할 수 있는 내가 다음 대통령이 되어, 통합을 이끈다는 예정이 있어야 가능할 것이라는 생각이 들었다. 그래서 아직은 답답한 국내 뉴스나 국제 정세에 관심을 놓치지 말고, 국민들에 대해서 더 관심을 가져야겠다는 생각이 들었다.

이렇게 나의 모든 시간은 휴식기에서 활동기로 살아나고 있다. 다시 모든 배움을 시작해야 한다. 미래가 불안하고 걱정된다면, 건강에 좋지 않은 영향을 끼치기 때문에, 더 알아보고 공부하는 것이 건강한 미래를 약속할 것이다. 나는 이렇게 또다시 40대에 정치와 사회 현실에 뛰어들어야 한다는 생각을 갖게 되었다. 무엇보다 몸을 잘 다스리는 것은 중요한 문제다. 최근 몇 년간 건강의 문제로 치유를 위해 알아보는 시간을 가졌는데, 전에 비해서 건강한 생활습관을 갖게 된 것 같다. 특히 최근에는 햇빛이 면역과 치유에 큰 도움이 된다는 것을 알게 되어, 야외 활동을 늘리기로 했다. 이렇게 글쓰기 작업도 야외에서 하니, 더 균형적인 생각이 떠오르는 것 같다. 너무 추워지기 전에 많은 작업이 마무리된다면 좋겠다.

2022/10/16

요즘은 건강을 회복하기 위해 노력하고 있다. 최근 햇빛의 치유 효과에 감탄하고 있었는데, 매일 산책을 하는 오솔길에 동네 주민들이 황톳길을 만들어 주었다. 그래서 어제부터 맨발로 걷기를 할 수 있었는데, 하고 나니 몸과 정신이 가벼워지고, 건강에 이롭다는 생각이 들었다. 몸에 맞지 않는 사람도 있다고 하니, 좀 더 지켜봐야겠다.

맨발 걷기는 장기를 자극하는 발의 지압 효과뿐만 아니라, 접지 효과로서 대지의 음이온이 몸의 좋지 않은 성분들을 중화시켜 준다고 한다. 이번 달에는 건강한 생활 전략을 얻어 가는 시간인가 보다. 오랜 시간 중요한 과업을 추진하며 자율신경이 불안정해졌던 나에게 자연과의 깊은 소통은 진정한 힘을 주고 있다. 앞으로 태양과 대지의 힘에 기대어 수신에 힘쓰는 시간을 가져보려고 한다. 가장 중요한 것은 무엇인가. 어떤 상황에서도 추구 심을 잃지 않아야 한다는 것이다. 그런 무의식적인 의지와 방향성이 그 모든 것을 가능하게 할 것이다.

스마트폰의 중독적 전파로부터 독립할 수 있도록, 야외 활동을 늘려야겠다. 그리고 독서실에 다시 다니면서 스스로 명상하고 생각하는 시간을 늘리고, 독서와 탐구활동을 통해서 지식과 정보를 얻어야 한다. 가장 중요한 것은 뉴스를 시청하면서 한국의 현실을 알아보고 균형감각을 배우는 것이다. 무엇보다 내면의 직관을 신뢰하는 것이다.

때를 기다리고 있다. 어떤 방식으로든 정치적 역할을 할 수 있는 시기가 올 것이다. 지금도 잘하고 있다. 다만, 때가 무르익기를 기다린다. 국민들이 더욱 각성하고, 깨어나기를 기다린다. 내가 좀 더 각성하기를 바란다. 세상이 깨어나서 한국의 정당 지향점이 나의 지향점과 맞아졌으면 좋겠다. 그래서 나의 과업을 아무도 방해하지 않는 세상이 펼쳐졌으면 좋겠다. 국제 정세가 변화하고, 오로지 국민들이 깨어나는 것밖에는 방법이 없을 것이다.

내가 원하는 정치적 역할은 서구에 종속적인 우파가 나와 하늘에 종속되도록 하여 정신적 독립을 갖게 하는 것에 있다. 그것이 나의 일차적 목표가 될 것이다. 그렇게 된다면, 우파도 좌파도 국민들을 위한 진정한 정치를 할 수 있을 것이다.

국민들은 엄청난 통찰력의 유능한 지도자를 원한다. 그에 미치지 못하면 도전도 하지 말고, 그런 능력을 갖추기 위해서 노력하라는 메시지다. 나의 어려움과 고통이 하늘을 움직여 세상을 변화시키는가. 그렇다면, 국민들은 내가 고통받는 것을 원할 것이다. 그것은 슬픈 운명이다. 그리고 그 운명을 슬프지 않게 만들어 내는 힘이 나에게 있다. 나를 지탱하는 원초적인 힘의 근원은 자연에 있다는 것을 깨닫게 되었다. 내가 죽어간다면, 자연이 나를 살릴 것이다.

2022/10/31

나의 여정은 돌고 돌아, 다시 다음 대선에 집중하게 되었다. 나는 필요한 것들을 끌어당기는 능력을 갖추고 있기 때문에, 어려움을 느끼는 나의 상황에 다가온 정보들을 종합해 본다면, 다시 국가 지도자가 되기 위한 준비를 해야 한다는 결론에 이른 것이다.

김종인 선생님의 '왜 대통령은 실패하는가' 라는 책을 읽고 있다. 내가 대통령이라는 업무를 십자가처럼 생각하고 어려워했던 이유가 잘 나와 있어서 위로가 되었다. 현 대통령제에는 대통령에게 너무나 과도한 권한이 집중되어 있기 때문에, 대통령이 안정적이고 독립적으로 힘을 행사하기 어렵고, 대통령 자신과 측근들이 부정을 일삼기 쉬운 구조라는 것이다. 많은 분들이 이 책을 읽고 각성할 수 있었으면 좋겠다. 부디 개헌이 되어서 대통령이 진정한 역할에 집중할 수 있는 여건이 마련되고, 성공적인 대통령이 되는 길이 열렸으면 좋겠다. 나는 성공하는 대통령이 되고 싶다. 역사의 죄인이 되는, 실패하는 대통령이 되고 싶지 않다.

2022/11/02

북한이 비핵화하기 위해서는 중도적인 내가 진정한 우파의 다음 지도자로 준비되어야 한다. 다음 총선에서 우파가 3분의 2 이상을 차지해야, 개헌이 가능하여 안정적인 전망이 가능할 것이다. 한마디로 다음 총선에 모든 것이 걸렸다고 볼 수 있다. 그를 위해서는 그 시기가 되기 전에 나의 역사가 충분히 알려져서 자유를 위한 활동을 더 이어가는 것이 좋을 것 같다.

나는 겁쟁이가 아니었다. 국민들에게 욕받이 죄인이 아닌, 성공적인 대통령이 되고 싶은 꿈을 갖고 있었던 것이다. 국민들에게 사랑받는 대통령이 되고 싶다. 국민들을 신바람 나게 만드는 대통령이 되고 싶다. 그 모든 오랜 아픔과 상처를 보듬고 치유해 줄 수 있는 대통령이 되고 싶다. 어려운 것은 아니다. 너무 부담을 느낄 것도 없고, 문제를 피할 것도 없다. 단지, 운명에 대한 직면을 반복해 가면 된다. 수년 전에 비해서 진정한 능력을 각성할 수 있었던 것과 같이, 앞으로 5년 후면 더욱 안정적인 균형감각과 통찰력이 준비될 것이다. 그러니 너무 걱정할 필요는 없다. 하느님과 천사들이 도와줄 것이기 때문이다. 나는 그들과 함께 작업하기 때문에, 어려움이 오더라도 곧 지나갈 것이다.

2022/11/04

나의 작문과 메시지가 세계에 큰 영향을 끼친다면, 세계 평화를 위해서 통제하려고 할 것이다. 그것은 감수해야 하는가. 어떤 이가 전쟁을 그치게 할 수 있다면, 전쟁을 일으킬 수도 있다는 뜻이다. 그러니 통제하려고 하지 않을 수 있겠나.

중요한 것은 역사를 창조하려는 주체가 국민들이 원하는 세상을 만들기를 바란다는 것이다. 세상은 나에게 눈치 볼 필요가 전혀 없다. 인류가 원하는 방향을 살펴 나가면 된다. 나의 존재는 인류를 주인으로 만들어 준다. 단지, 좋은 것을 좋다고 생각하고, 마음에 들지 않는 것을 싫어하는 것으로 충분하다.

너무 거칠고, 힘겨운 운명에 지치지? 그런데 네가 원하는 대통령이라는 자리로 가는 길은 이런 길이야. 꽃길이 아니야. 고통받고, 극복해 가는 과정의 연속, 그것이 진정한 대통령의 길이라는 것을 이제 알겠니. 국민들의 생명을 지키기 위해서 목숨을 걸고 의지를 관철해야 하는 것이야. 그것을 명심해. 국민들의 목소리를 대변하는 것이야.